FRIEDRICH DÜRRENMATT
EIN ENGEL KOMMT NACH BABYLON

Dürrenmatt

FRIEDRICH DÜRRENMATT

EIN ENGEL KOMMT NACH BABYLON

EINE FRAGMENTARISCHE KOMÖDIE IN DREI AKTEN

ZWEITE FASSUNG

IM VERLAG DER ARCHE ZÜRICH

Sämtliche Verlags-, Aufführungs-, Nachdrucks-, Verfilmungs- und
Übersetzungsrechte sowie Verbreitung durch Radio und Television
sind nur durch die nachstehenden Verlage zu erwerben:

WELTVERTRIEB
Theaterverlag Reiß AG, Basel, Steinentorstraße 13

VERTRIEB FÜR DEUTSCHLAND
Felix Bloch Erben, Verlag für Bühne, Film und Funk, Berlin-Charlottenburg 2,
Hardenbergstraße 6, und Baden-Baden, Lichtentaler-Allee 14

VERTRIEB FÜR ÖSTERREICH
Universal-Edition AG, Wien 1, Karlsplatz 6

BUCHRECHTE
© 1957 by Peter Schifferli, Verlags AG Die Arche, Zürich
Printed in Switzerland
Einband: J. Stemmle & Co., Zürich
ISBN 3 7160 1138 X

Der Engel
Das Mädchen Kurrubi
Akki
Nebukadnezar   König von Babylon
Nimrod   Exkönig von Babylon
Der Kronprinz   beider Sohn
Der Erzminister
Der Obertheologe Utnapischtim
Der General
Erster Soldat
Zweiter Soldat
Dritter Soldat
Ein Polizist
Der Bankier Enggibi
Der Weinhändler Ali
Die Hetäre Tabtum
Erster Arbeiter
Zweiter Arbeiter, klassenbewußter
Erste Arbeiterfrau
Zweite Arbeiterfrau
Der Feierliche
Der Eselmilchverkäufer Gimmil
Viele Dichter
Volk
und so weiter

Ihr Städte des Euphrats!
[HÖLDERLIN]

UM GLEICH MIT DEM WICHTIGSTEN ORT ZU BEGIN- *nen, der zwar nicht den Schauplatz abgibt, sondern nur den Hinter- grund dieser Komödie, so hängt ein unermeßlicher Himmel über allem, in dessen Mitte der Andromedanebel schwebt, etwa so, wie wir ihn in den Spiegeln des Mount Wilson oder des Mount Palomar sehen, be- drohlich nah, fast die Hälfte des Bühnenhintergrundes füllend. Aus diesem Himmel nun stieg einmal, und nur ein einziges Mal, ein Engel hernieder, verkleidet als ein zerlumpter Bettler mit einem langen, ro- ten Bart, ein verhülltes Mädchen zur Seite. Eben erreichen die Wan- derer die Stadt Babylon und gelangen zum Euphratquai. In der Mitte des kleinen Platzes brennt eine altbabylonische Gaslaterne, spärlich na- türlich im Vergleich zum Himmel darüber. Weiter hinten an Haus- wänden und Plakatsäulen Plakate, einige zerrissen, etwa des Inhalts: «Wer bettelt, schadet der Heimat», «Betteln ist unsozial», «Bettler, tretet in den Staatsdienst ein». Im Hintergrund ferner ahnt man die Straßenschluchten der Riesenstadt, ein Gewirr von Palästen, Hoch- häusern und Hütten, das sich im gelben Sand der Wüste verliert, prächtig und dreckig zugleich, von Millionen bewohnt.*

DER ENGEL: Da du, mein Kind, erst vor wenigen Augenblik- ken auf eine höchst erstaunliche Weise von meinem Herrn er- schaffen worden bist, so vernimm denn, daß ich, der ich als Bettler verkleidet neben dir schreite, ein Engel bin, daß diese zähe und störrische Materie, auf der wir uns hier bewegen, die Erde ist – wenn ich mich nicht allzu sehr in der Richtung geirrt haben sollte – und daß diese weißen Blöcke die Häuser der Stadt Babylon sind.

DAS MÄDCHEN: Ja, mein Engel.

DER ENGEL *zieht eine Landkarte hervor und studiert sie:* Die brei- te Masse, die an uns vorbeifließt, ist der Euphrat.

DER ENGEL *geht die Ufermauer hinunter und steckt den Finger in die Wellen, worauf er ihn zum Munde führt:* Er scheint aus einer Unmenge von angesammeltem Tau zu bestehen.

DAS MÄDCHEN: Ja, mein Engel.

DER ENGEL: Die krumme und helle Figur über uns – ich bitte

7

dich, den Kopf ein wenig zu heben – ist der Mond und die unermeßliche Wolke hinter uns, milchig in ihrer Majestät, der Andromedanebel, den du kennst, da wir von ihm kommen. *Er tippt auf die Karte:* Es stimmt, es steht alles auf der Landkarte.

DAS MÄDCHEN: Ja, mein Engel.

DER ENGEL: Du aber, an meiner Seite wandelnd, nennst dich Kurrubi und bist, wie ich schon erwähnte, von meinem Herrn selbst vor wenigen Minuten erschaffen worden, indem Er – wie ich dir nun sagen kann – vor meinen Augen mit der rechten Hand hinein ins Nichts griff, den Mittelfinger und den Daumen leicht aneinanderrieb, worauf du schon auf seiner Handfläche einige zierliche Schritte machtest.

KURRUBI: Ich erinnere mich, mein Engel.

DER ENGEL: Sehr schön, erinnere dich immer daran, denn von nun an bist du von dem getrennt, der dich aus dem Nichts schuf und auf dessen Hand du getanzt hast.

KURRUBI: Wo soll ich nun hin?

DER ENGEL: Du sollst dahin, wo wir angelangt sind: zu den Menschen.

KURRUBI: Was sind das, Menschen?

DER ENGEL *verlegen:* Meine liebe Kurrubi, ich muß dir gestehen, daß ich auf diesem Gebiet der Schöpfung wenig Bescheid weiß. Ich habe nur einmal, vor etlichen tausend Jahren, einen Vortrag über dieses Thema gehört. Demnach sind Menschen Wesen von unserer jetzigen Gestalt, die ich insofern unpraktisch finde, als sie mit verschiedenen Organen behaftet ist, die ich nicht begreife. Ich bin froh, mich bald wieder in einen Engel zurückverwandeln zu dürfen.

KURRUBI: So bin ich jetzt ein Mensch?

DER ENGEL: Du bist ein Wesen in Menschenform. *Sich räuspernd:* Laut des Vortrages, den ich hörte, pflanzen sich die Menschen untereinander fort, während du von Gott aus dem Nichts gemacht worden bist. Ich möchte dich ein Menschennichts nennen. Du bist unvergänglich wie das Nichts und vergänglich wie der Mensch.

KURRUBI: Was soll ich denn den Menschen bringen?

DER ENGEL: Meine liebe Kurrubi, da du noch nicht eine Viertelstunde alt bist, will ich dir dein vieles Fragen verzeihen. Du mußt jedoch wissen, daß ein wirklich frommes Mädchen nicht fragt. Du sollst den Menschen nichts bringen, sondern *du* wirst vor allen Dingen den Menschen gebracht.

KURRUBI *nach kurzem Nachdenken:* Das verstehe ich nicht.

DER ENGEL: Was aus der Hand dessen kommt, der dich erschuf, verstehen wir nie, mein Kind.

KURRUBI: Verzeih.

DER ENGEL: Ich erhielt den Auftrag, dich dem Geringsten der Menschen zu übergeben.

KURRUBI: Ich habe dir zu gehorchen.

DER ENGEL *wieder die Karte studierend:* Die Geringsten der Menschen sind die Bettler. Du wirst demnach einem gewissen Akki gehören, der, wenn diese Karte stimmt, der einzige noch erhaltene Bettler der Erde ist. Wahrscheinlich ein lebendes Naturdenkmal. *Stolz:* Sie ist großartig, diese Landkarte. Es steht alles drauf.

KURRUBI: Wenn der Bettler Akki der Geringste der Menschen ist, wird er unglücklich sein.

DER ENGEL: Was du in deiner Jugend für Wörter brauchst. Was erschaffen ist, ist gut, und was gut ist, ist glücklich. Auf meinen ausgedehnten Reisen durch die Schöpfung habe ich nie ein Körnchen Unglück gesehen.

KURRUBI: Ja, mein Engel.

Sie schreiten nach rechts, der Engel beugt sich über das Orchester.

DER ENGEL: Dies ist die Stelle, wo der Euphrat einen Bogen macht. Hier müssen wir den Bettler Akki erwarten. Wir wollen uns setzen und schlafen. Die Reise ermüdete mich, und außerdem ist mir, als wir beim Jupiter um die Ecke bogen, einer seiner Monde zwischen die Beine geraten.

Sie setzen sich rechts außen in den Vordergrund.

DER ENGEL: Komm nah zu mir. Umschlinge mich mit deinen Armen. Wir wollen uns mit dieser wunderbaren Landkarte zudecken. Ich bin in meinen Sonnen an andere Temperaturen gewöhnt. Mich friert, obschon dies nach der Karte eine der wärmsten Gegenden der Erde sein soll. Es scheint sich um einen kalten Stern zu handeln.

Sie decken sich mit der Landkarte zu und schlafen aneinanderge-
schmiegt ein.
Von rechts kommt Nebukadnezar, ein noch junger Mann, gar nicht
unsympathisch und etwas naiv, von seinem Gefolge begleitet. Dar-
unter der Erzminister, der General, der Obertheologe Utnapischtim
und ein rot vermummter Henker.

NEBUKADNEZAR: Indem meine Heere im Norden den Libanon erreicht haben, im Süden das Meer, im Westen eine Wüste
und im Osten ein Gebirge, das so hoch ist, daß es nicht mehr
aufhört, ist die Welt von mir erobert worden.

ERZMINISTER: Im Namen der Minister –

UTNAPISCHTIM: Der Kirche –

GENERAL: Des Heeres –

HENKER: Der Justiz –

ALLE VIER: Gratulieren wir Seiner Majestät dem König Nebukadnezar zur Neuordnung der Welt.

Sie verneigen sich.

NEBUKADNEZAR: Neunhundert Jahre verbrachte ich als Schemel König Nimrods in einer unangenehmen, zusammenge-
krümmten Stellung. Doch war dies nicht die einzige Beleidi-
gung. Neunhundert Jahre hast du mir bei jeder Audienz ins Gesicht gespuckt, Erzminister.

DER ERZMINISTER *verneigt sich verlegen:* Majestät, Nimrod
zwang mich ...

Von ferne sind Negertrommler zu hören.

NEBUKADNEZAR: Nimrod wurde verhaftet. Bei Anbruch des
Tages wird er in Babylon eintreffen, wie meine Negertrommler, ein Geschenk der Königin von Saba, eben aus Lamasch melden. Nun wird Nimrod mein Fußschemel. Ich werde dich
zwingen, ihm ins Gesicht zu spucken, Erzminister.

ERZMINISTER *mit Wärme:* Majestät! Wie in grauer Vorzeit Sie
König waren und Nimrod Fußschemel, hatte ich ihn anzuspuk-
ken. Als vor neunhundert Jahren Nimrod König wurde und
Majestät Fußschemel, mußte ich Majestät anspucken. Wäre es
darum nicht besser, mich vom Spucken ein für allemal zu be-
freien, ein Anliegen, das ich jedesmal vorbringe, wenn ein Umschwung der Dinge eingetreten –

NEBUKADNEZAR: Was gerecht ist, ist gerecht. Tu deine Pflicht und spucke!

Der Erzminister verneigt sich.

NEBUKADNEZAR: Überhaupt ist das Reich verlottert. Ich muß mich sputen, den Schaden wieder gutzumachen. Das Leben ist kurz. Ich habe die Ideen zu verwirklichen, die in mir aufstiegen, während ich Nimrods Schemel war.

ERZMINISTER: Majestät wünschen den wahrhaft sozialen Staat einzuführen.

NEBUKADNEZAR: Es überrascht mich, Erzminister, daß du meine Gedanken kennst.

ERZMINISTER: Könige denken im Zustand der Erniedrigung stets sozial, Majestät.

NEBUKADNEZAR: Wie immer, wenn Nimrod regierte, ging es der Privatwirtschaft viel zu gut und dem Staat viel zu schlecht. Die Menge der Händler, Zwischenhändler, Unterhändler und Nebenhändler ist ungeheuer, die Zahl der Bankiers und der Bettler beängstigend. Gegen die Bankiers einzuschreiten ist mir gegenwärtig nicht möglich. Ich erinnere nur an den Stand unserer Finanzen. Das Betteln jedoch habe ich verboten. Ist meinem Befehl Folge geleistet worden?

ERZMINISTER: Die Bettler sind in den Staatsdienst übergetreten, Majestät. Sie treiben jetzt die Steuern ein. Nur ein Bettler namens Akki will bei seinem armseligen Gewerbe bleiben.

NEBUKADNEZAR: Wurde er gebüßt?

ERZMINISTER: Vergeblich.

NEBUKADNEZAR: Ausgepeitscht?

ERZMINISTER: Unbarmherzig.

NEBUKADNEZAR: Gefoltert?

ERZMINISTER: Keine Stelle seines Leibes, die nicht mit glühenden Zangen gezwackt, keiner seiner Knochen, der nicht mit fürchterlichen Gewichten belastet worden wäre.

NEBUKADNEZAR: Er weigert sich noch immer?

ERZMINISTER: Er ist durch nichts zu erschüttern.

NEBUKADNEZAR: Dieser Akki ist der Grund, weshalb ich mich zu nächtlicher Stunde am Euphratufer befinde. Es wäre mir ein leichtes, ihn nun aufknüpfen zu lassen. Es ist jedoch eines großen Herrschers nicht unwürdig, es noch mit Humanität zu versuchen. Ich habe daher beschlossen, eine Stunde meines Lebens mit dem geringsten meiner Untertanen zu teilen. Zieht mir deshalb den alten Bettlermantel an, den ich aus der Garderobe meines Hoftheaters habe holen lassen.

ERZMINISTER: Wie Majestät befehlen.

NEBUKADNEZAR: Klebt mir den roten Bart ins Gesicht, der zu diesem Kostüm paßt.

Nebukadnezar steht als Bettler verkleidet da.

NEBUKADNEZAR: Seht denn, was ich unternehme, ein makelloses Reich zu erschaffen, ein durchsichtiges Gebilde, das alle umschließt, vom Henker bis zum Minister, und alle aufs angenehmste beschäftigt. Wir streben nicht nach Macht, wir streben nach Vollkommenheit. Die Vollkommenheit hat nichts Überflüssiges an sich, ein Bettler ist jedoch überflüssig. Ich will diesen Akki überreden, dem Staatsdienst beizutreten, indem ich, da ich selbst als Bettler vor ihm erscheine, ihm so seine eigene Not vor Augen führe. Will er aber in seinem Unglück verharren, wird er an diese Laterne geknüpft.

Der Henker verneigt sich.

ERZMINISTER: Wir bewundern die Weisheit Eurer Majestät.

NEBUKADNEZAR: Bewundert nicht, was ihr nicht versteht.

ERZMINISTER: Gewiß, o König.

NEBUKADNEZAR: Entfernt euch. Doch nicht zu weit, damit ihr mir zur Hand seid, wenn ich rufe. Bevor dies geschieht, lasse sich keiner erblicken.

Alle verneigen sich und gehen nach dem Hintergrund, wo sie sich verbergen.

Nebukadnezar setzt sich links außen an den Euphrat. In diesem Augenblick erwachen der Engel und Kurrubi.

DER ENGEL *freudig:* Siehst du, das ist jetzt ein Mensch.

KURRUBI: Er hat die gleichen Kleider an und den gleichen roten Bart.

DER ENGEL: Wir haben den getroffen, den wir suchen, mein Kind. *Zu Nebukadnezar:* Es freut mich, den Bettler Akki von Babylon kennenzulernen.

NEBUKADNEZAR *verwirrt, wie er den als Bettler verkleideten En-*

gel sieht: Ich bin nicht der Bettler Akki. Ich bin ein Bettler aus Ninive. *Streng:* Ich war der Meinung, daß außer mir und Akki kein weiterer Bettler lebe.

DER ENGEL *zu Kurrubi:* Ich weiß nicht, was ich denken soll, liebe Kurrubi. Meine Landkarte stimmt nicht: In Ninive gibt es auch einen Bettler. Zwei Bettler leben auf der Erde.

NEBUKADNEZAR *für sich:* Ich lasse den Informationsminister hängen: Zwei Bettler leben in meinem Reich. *Zum Engel:* Woher kommst du?

DER ENGEL *verlegen:* Von jenseits des Libanons.

NEBUKADNEZAR: Wie der große König Nebukadnezar feststellte, hört beim Libanon die Welt auf. Dieser Ansicht sind sämtliche Geographen und Astronomen.

Der Engel schaut auf der Landkarte nach.

DER ENGEL: Jenseits sind noch einige Dörfer. Athen, Sparta, Karthago, Moskau, Peking. Siehst Du?

Er zeigt die Ortschaften dem König.

NEBUKADNEZAR *für sich:* Ich lasse noch den Hofgeographen hängen. *Zum Engel:* Der große König Nebukadnezar wird auch diese Dörfer erobern.

DER ENGEL *leise zu Kurrubi:* Der Umstand, daß wir einen zweiten Bettler getroffen haben, verändert unsere Lage. Ich muß jetzt herausfinden, wer der ärmere ist, der Bettler Akki oder dieser Bettler aus Ninive, eine Untersuchung, die nur mit Zartheit und Diskretion durchgeführt werden kann.

Von links kommt eine zerlumpte und wilde Gestalt mit einem roten Bart, so daß sich nun drei Bettler mit langen roten Bärten auf der Bühne befinden.

DER ENGEL: Da kommt ein zweiter Mensch.

KURRUBI: Er hat ebenfalls die gleichen Kleider an wie du, mein Engel, und den gleichen roten Bart.

DER ENGEL: Wenn das jetzt wieder nicht der Bettler Akki ist, werde ich konfus.

NEBUKADNEZAR *für sich:* Wenn das jetzt wieder nicht der Bettler Akki ist, wird auch noch der Innenminister gehängt.

Die Gestalt setzt sich in der Mitte der Bühne ans Euphratufer, sich mit dem Rücken gegen die Laterne lehnend.

13

NEBUKADNEZAR *räuspert sich:* Du bist, wie ich nicht zweifle, der Bettler Akki aus Babylon?

DER ENGEL: Der berühmte Bettler Akki, dessen Ruhm überallhin gedrungen ist?

AKKI *zieht eine Schnapsflasche hervor und trinkt:* Ich kümmere mich nie um meinen Namen.

NEBUKADNEZAR: Jeder hat einen Namen.

AKKI: Wer bist du?

NEBUKADNEZAR: Auch ein Bettler.

AKKI: Dann bist du ein schlechter Bettler, denn vom Standpunkt der Bettlerei aus sind deine Grundsätze schlechte Grundsätze. Ein Bettler hat nichts, kein Geld und keinen Namen, er nennt sich so und bald so, er nimmt sich einen Namen wie ein Stück Brot. Ich bettle mir daher jedes Jahrhundert einen anderen Namen zusammen.

NEBUKADNEZAR *würdig:* Es ist eines der dringendsten Interessen der Menschheit, daß jeder seinen Namen behält, daß jeder ist, der er ist.

AKKI: Ich bin, was mir gefällt. Ich bin alles gewesen, und jetzt bin ich Akki der Bettler geworden. Doch wenn du willst, kann ich auch Nebukadnezar der König sein.

NEBUKADNEZAR *springt empört auf:* Das ist unmöglich.

AKKI: Nichts ist leichter, als ein König zu werden. Dies ist eines der einfachsten Kunststücke, das man gleich zu Beginn seiner bettlerischen Laufbahn lernen muß. Ich bin in meinem Leben schon siebenmal König gewesen.

NEBUKADNEZAR *der sich wieder gefaßt hat:* Es ist kein größerer König denn Nebukadnezar!

Im Hintergrund wird der ganze Hofstaat sichtbar, der sich verneigt und sofort wieder verschwindet.

AKKI: Du meinst den kleinen Nebi.

NEBUKADNEZAR: Nebi?

AKKI: So nenne ich meinen Freund, den König Nebukadnezar von Babylon.

NEBUKADNEZAR *nach einer Pause, würdevoll:* Ich kann wohl kaum annehmen, daß du den großen König der Könige kennst.

AKKI: Groß? Körperlich und geistig ein Knirps.

NEBUKADNEZAR: Auf den Reliefs wird er stets würdevoll und gut gewachsen dargestellt.

AKKI: Na ja. Auf den Reliefs. Wer macht die? Unsere babylonischen Bildhauer. Bei denen sieht jeder König wie der andere aus. Ich kenne meinen Nebi, da macht man mir nichts vor. Leider befolgt er meine Ratschläge nicht.

NEBUKADNEZAR *erstaunt:* Deine Ratschläge?

AKKI: Er läßt mich auf sein Schloß holen, wenn er sich nicht mehr zu helfen weiß.

NEBUKADNEZAR *verwirrt:* Auf sein Schloß?

AKKI: Er ist der dümmste König, der mir je vorgekommen ist. Das Regieren fällt ihm schwer.

NEBUKADNEZAR: Das Weltregieren ist eine erhabene und schwierige Aufgabe.

AKKI: Das sagt Nebi auch immer. Das hat noch jeder König gesagt, den ich gekannt habe. Das ist die Ausrede der Könige, denn jeder Mensch braucht eine Ausrede, wenn er kein Bettler ist, warum er kein Bettler sei. Schlimme Zeiten stehen bevor. *Er trinkt. Zum Engel:* Wer bist denn du?

DER ENGEL: Ich bin auch ein Bettler.

AKKI: Dein Name?

DER ENGEL: Ich komme aus einem Dorf, wo es noch keine Namen gibt.

AKKI: Wo liegt dieses sympathische Dorf?

DER ENGEL: Jenseits des Libanons.

AKKI: Eine vernünftige Gegend. Was willst du von mir?

DER ENGEL: Das Bettlergewerbe steht schlecht in unserem Dorf. Ich vermag kaum mit meinem Betteln zu leben, und dabei habe ich ein Töchterchen zu ernähren, das sich verschleiert an meiner Seite befindet, wie du siehst.

AKKI: Ein Bettler, der in Not gerät, ist ein Dilettant.

DER ENGEL: Der Gemeinderat meines Dorfes hat mir daher die Reisekosten zum gewaltigen und berühmten Bettler Akki bezahlt, damit ich die Kunst des Bettelns besser erlerne. Ich bitte dich, aus mir einen anständigen und soliden Bettler zu machen.

AKKI: Der Gemeinderat hat klug gehandelt. Es gibt noch Gemeinderäte auf der Welt.

KURRUBI *bestürzt zum Engel:* Du lügst, mein Engel.

DER ENGEL: Der Himmel lügt nie, mein Kind. Nur fällt es ihm bisweilen schwer, sich den Menschen verständlich zu machen.

AKKI *zu Nebukadnezar:* Warum bist du zu mir gekommen?

NEBUKADNEZAR: Ich bin der berühmte und große Anaschamaschtaklaku, der überaus herrliche und Erste Bettler von Ninive.

AKKI *mißtrauisch:* Du bist der Erste Bettler von Ninive?

NEBUKADNEZAR: Anaschamaschtaklaku, der Erste Bettler Ninives.

AKKI: Was willst du?

NEBUKADNEZAR: Ziemlich das Gegenteil von diesem Bettler aus dem Dorfe jenseits des Libanons. Ich bin gekommen, dich zu überzeugen, daß wir nicht mehr Bettler sein können. Wir sind zwar für den Fremdenverkehr attraktiv, doch den alten romantischen Orient in Ehren, nun ist ein modernes Zeitalter angebrochen. Wir müssen dem Verbot unseres Standes durch den großen König Nebukadnezar Folge leisten.

AKKI: So!

NEBUKADNEZAR: Eine soziale Welt darf keine Bettler kennen. Es ist ihrer unwürdig, die Armut weiter zu dulden, die das Bettlergewerbe mit sich bringt.

AKKI: Hm!

NEBUKADNEZAR: Alle andern Bettler in Ninive und Babylon, in Ur und Uruk, ja sogar in Aleppo und Susa haben ihren Bettlerstab fortgeworfen, denn der König der Könige, Nebukadnezar, gibt allen Arbeit und Brot. Es geht ihnen jetzt verhältnismäßig viel besser denn zuvor.

AKKI: Ei!

NEBUKADNEZAR: Infolge unserer erhabenen Kunst zu betteln, haben wir die Not nicht so gespürt wie unsere Mitbettler, obgleich auch unser Elend wahrlich nicht gering ist, wie man aus den Kleidern ersehen kann, die wir tragen. Aber auch mit der größten Meisterschaft erreichen wir in den heutigen Zeiten einer wirtschaftlichen Blüte nicht mehr, als beispielsweise – um die schlechtbezahltesten Arbeiter zu nennen – ein Dichter verdient.

AKKI: Potz!

NEBUKADNEZAR: Aus diesem Grunde, Erhabener, habe ich beschlossen, mein Bettlergewerbe niederzulegen, um in den Dienst seiner Majestät des Königs Nebukadnezar zu treten. Ich bitte dich, dasselbe zu tun und dich um acht im Finanzministerium zu melden. Deine letzte Chance, dem Befehl nachzukommen. Nebukadnezar ist gewissenhaft und könnte dich sonst an die Laterne knüpfen lassen, gegen die du dich lehnst.

Im Hintergrund verneigt sich der Henker.

AKKI: Du bist der Bettler Anaschamaschtaklaku aus Ninive?

NEBUKADNEZAR: Der Erste und bestrenommierte Bettler aus Ninive.

AKKI: Und verdienst nicht mehr denn ein Dichter?

NEBUKADNEZAR: Nicht mehr.

AKKI: Das muß bei deiner Bettlerei liegen. Ich unterhalte allein fünfzig babylonische Dichter.

NEBUKADNEZAR *vorsichtig:* Es ist natürlich vielleicht möglich, daß ein Dichter in Ninive etwas mehr verdient als in Babylon.

AKKI: Du bist der Erste Bettler von Ninive und ich der Erste Bettler von Babylon. Es war schon lange mein Wunsch, mich mit dem Premierbettler einer anderen Stadt zu messen. Wir wollen unsere Kunst vergleichen. Wenn du siegst, treten wir in den Staatsdienst ein, heute um acht, und wenn ich siege, kehrst du nach Ninive zurück und bettelst weiter, wie ich dies in Babylon tue, ungeachtet der Gefahren, die sich bei der Ausübung unseres hohen Amtes ergeben. Es tagt und die ersten Menschen stehen auf. Es ist für das Betteln eine ungünstige Zeit, aber um so größer wird unsere Geschicklichkeit sein müssen.

DER ENGEL: Meine liebe Kurrubi, es ist ein historischer Augenblick gekommen: Du wirst deinen Mann kennenlernen, den ärmsten und untersten Bettler.

KURRUBI: Wie werde ich dies können, mein Engel?

DER ENGEL: Das ist ganz einfach, mein Kind: Wer diesen Zweikampf im Betteln verliert, ist der geringste der Menschen.

Er tippt sich stolz auf die Stirne.

AKKI: Da trotten zwei Arbeiter quer durch Babylon, von einem Stadtteil zum andern, ohne Essen im Magen, einen Weg von drei Stunden, um ihre Frühschicht in der Ziegelbrennerei Mascherasch anzutreten. Ich lasse dich beginnen, Bettler aus Ninive.

Zwei Arbeiter kommen von links.

NEBUKADNEZAR *jammervoll:* Ein Almosen, ehrsame Arbeiter, ein Almosen einem Kameraden der Erzbergwerke Nebo, der invalid geworden ist.

ERSTER ARBEITER: Ehrsame Arbeiter! Schwätz nicht so blöd.

ZWEITER ARBEITER: Die von der Nebo kriegen zehn Kupfermünzen mehr die Woche. Die sollen für ihre Invaliden selber sorgen.

ERSTER ARBEITER: Jetzt, wo Granit kommt für die Regierungsgebäude statt Ziegeln.

ZWEITER ARBEITER: Weil's besser für die Ewigkeit hält.

AKKI: Jeder eine Kupfermünze, ihr Schufte. Da versuchen sie ihre Bäuche für einen Silberling die Woche zu mästen, und ich, der ich die Ehre der Arbeiterschaft hochhalte und mich nicht zu dieser Ausbeutung hergebe, sondern bettle, hungere! Jagt den Besitzer der Ziegelbrennerei zum Teufel oder jeder eine Kupfermünze.

ZWEITER ARBEITER: Wie kann ich eine Revolution machen, wenn ich allein bin!

ERSTER ARBEITER: Wo ich doch eine Familie habe!

AKKI: Habe ich etwa nicht Familien? In allen Gassen laufen meine Familien herum. Eine Kupfermünze, oder ihr versinkt in Sklaverei wie vor der Sündflut. Ist das eine Art, mich, den Oberarbeiter Babylons, verhungern zu lassen!

Die beiden Arbeiter geben verlegen ihre Kupfermünzen. Beide nach rechts ab.

AKKI *wirft die beiden Münzen hoch:* Den ersten Kampf habe ich gewonnen!

NEBUKADNEZAR: Seltsam. Die Arbeiter in Ninive reagieren anders.

AKKI: Da hinkt Gimmil herbei, der Eselmilchverkäufer.

Gimmil kommt von links und stellt seine Milchflaschen vor die Türen der Häuser.

NEBUKADNEZAR: Zehn Kupfermünzen, du schmieriger Esel-milchverkäufer, der seine Melkerinnen zu Tode schindet, oder ich hetze dir den Lohnpolizisten Marduk auf den Hals.

GIMMIL: Den Lohnpolizisten Marduk, der von der Stadtmol-kerei bestochen ist? Mir? Auf den Hals? Jetzt, wo die Kuhmilch aufkommt und mich ruiniert? Keinen Pfennig für so einen lausigen Bettler!

AKKI *wirft ihm die zwei erbettelten Kupfermünzen vor die Füße:* Hier, Gimmil, mein Hab und Gut für eine Flasche bester Esel-milch. Ich bin ein Bettler und du ein Eselmilchverkäufer, wir treiben beide Privatwirtschaft. Es lebe die Eselmilch, es lebe die Privatwirtschaft. Babylon ist mit Eselmilch groß geworden, babylonische Patrioten trinken Eselmilch!

GIMMIL *begeistert:* Da hast du zwei Flaschen und einen Silber-ling. Mit einem solchen Babylonier ziehe ich gegen sämtliche staatliche Kuhmilch der Welt ins Feld. Babylonische Patrioten trinken Eselmilch! Großartig. Das ist ein viel besseres Schlag-wort als: Mit Kuhmilch für den Fortschritt!

Nach links ab.

NEBUKADNEZAR: Merkwürdig. Ich bin noch nicht in Form.

AKKI: Jetzt kommt ein einfacher Fall, ein Musterbeispiel für eine Bettelei. Die Hetäre Tabtum, die nun mit ihrer Magd auf den Anuplatz geht, frisches Gemüse einzukaufen. Technisch leicht und elegant zu meistern.

Von hinten kommt die Hetäre Tabtum mit ihrer Magd, die einen Korb auf dem Kopf trägt.

NEBUKADNEZAR *jammervoll:* Ein Almosen, hochedle Dame, Königin der Tugend. Ein Almosen einem armen, aber anstän-digen Bettler, der drei Tage nichts gegessen hat.

TABTUM: Da hast du einen Silberling. Bete dafür vor dem Tempel der großen Ischtar, daß ich Glück in der Liebe habe.

Sie gibt Nebukadnezar einen Silberling.

AKKI: Ha!

TABTUM: Warum lachst du, Individuum?

AKKI: Ich lache, anmutige junge Frau, weil du diesem armen Schlucker aus Ninive bloß einen Silberling gibst. Er ist ein un-erfahrener Bettler, Wunderschöne, und man muß ihm schon zwei Silberlinge geben, wenn sein Gebet nur etwas Kraft haben soll.

TABTUM: Noch einen Silberling?

AKKI: Noch einen.

Die Hetäre gibt Nebukadnezar noch einen Silberling.

TABTUM *zu Akki:* Wer bist denn du?

AKKI: Ich bin ein wirklicher, ausgebildeter und studierter Bettler.

TABTUM: Wirst du auch für mich zur Liebesgöttin beten?

AKKI: Ich bete zwar selten, aber für dich, Schönste, will ich es ausnahmsweise tun.

TABTUM: Haben deine Gebete denn Erfolg?

AKKI: Nur, junge Frau, nur. Wenn ich zu Ischtar zu beten anfange, erzittert ob dem Gestüm meiner Psalmen das Himmelbett, auf dem die Göttin ruht. Du wirst mehr reiche Männer bekommen, als Babylon und Ninive zusammen besitzen.

TABTUM: Ich will dir auch zwei Silberlinge geben.

AKKI: Ich bin glücklich, wenn du mir ein Lächeln deines roten Mundes schenkst. Das genügt mir.

TABTUM *verwundert:* Du willst mein Geld nicht?

AKKI: Nimm mir's nicht übel, meine Prächtige. Ich bin ein vornehmer Bettler, der bei Königen, Finanzmännern und Damen der großen Gesellschaft bettelt und nur von einem Goldstück an aufwärts nimmt. Ein Lächeln deines Mundes, Allerschönste, ein Lächeln und ich bin glücklich.

TABTUM *neugierig:* Wieviel geben denn die Damen der großen Gesellschaft?

AKKI: Zwei Goldstücke.

TABTUM: Ich kann dir drei Goldstücke geben.

AKKI: Dann gehörst du zur ganz großen Gesellschaft, schöne Dame.

Sie gibt ihm drei Goldstücke.

AKKI: Madame Chamurapi, die Frau des Erzministers, gibt auch nicht mehr.

Im Hintergrund wird der Erzminister sichtbar, der interessiert zuhört.

TABTUM: Die Chamurapi? Diese ausgehaltene Person aus dem

fünften Quartier? Das nächste Mal erhältst du vier Goldstücke. *Sie geht mit ihrer Magd nach rechts ab. Der Erzminister verschwindet wütend.*

AKKI: Nun?

NEBUKADNEZAR *kratzt sich im Harr:* Ich gebe zu, daß du bis jetzt gewonnen hast.

DER ENGEL *zu Kurrubi:* Ein hochbegabter Bettler, dieser Akki. Die Erde scheint ein spannender Stern zu sein. Jedenfalls für mich nach den vielen Sonnen aufregend.

NEBUKADNEZAR: Ich komme in Schwung.

AKKI: Um so besser, Bettler Anaschamaschtaklaku. Dort begibt sich Enggibi auf die Reise, der Seniorchef des Bankhauses Enggibi und Sohn, der zehnmal reicher ist denn der große König Nebukadnezar.

NEBUKADNEZAR *seufzend:* Es gibt so unverschämte Kapitalisten.

Zwei Sklaven tragen Enggibi in einer Sänfte von rechts herein. Hinter der Gruppe trottet ein dicker Eunuch.

NEBUKADNEZAR: Dreißig Goldstücke, großer Bankier, dreißig Goldstücke!

ENGGIBI: Wo kommst du her, Bettler?

NEBUKADNEZAR: Aus Ninive. Nur die hohe Gesellschaft ist mein Kunde. Ich habe noch nie unter dreißig Goldstücken erhalten.

ENGGIBI: Die Kaufleute Ninives wissen mit dem Geld nicht umzugehen. Verschwenderisch im Kleinen, sind sie knauserig im Großen. Ich will dir – weil du ein Fremdling bist – ein Goldstück geben.

Er macht mit dem Kopf ein Zeichen, der Eunuch gibt Nebukadnezar ein Goldstück.

ENGGIBI *zu Akki:* Kommst du auch aus Ninive?

AKKI: Ich bin ein babylonischer Originalbettler.

ENGGIBI: Als Einheimischer erhältst du einen Silberling.

AKKI: Ich pflege nie über eine Kupfermünze anzunehmen. Ich bin Bettler geworden, weil ich das Geld verachte.

ENGGIBI: Du verachtest das Geld, Bettler?

AKKI: Es gibt nichts Verächtlicheres als dieses lumpige Metall.

ENGGIBI: Ich gebe dir ein Goldstück wie diesem Bettler aus Ninive.

AKKI: Eine Kupfermünze, Bankier.

ENGGIBI: Zehn Goldstücke.

AKKI: Nein.

ENGGIBI: Zwanzig Goldstücke.

AKKI: Troll dich, Finanzgenie.

ENGGIBI: Dreißig Goldstücke.

AKKI *spuckt aus.*

ENGGIBI: Du weigerst dich, dreißig Goldstücke vom Seniorchef des größten Bankhauses in Babylon entgegenzunehmen?

AKKI: Der größte Bettler Babylons verlangt nur eine Kupfermünze von Enggibi und Sohn.

ENGGIBI: Dein Name?

AKKI: Akki.

ENGGIBI: So ein Charakter muß belohnt werden. Eunuch, gib ihm dreihundert Goldstücke.

Der Eunuch gibt Akki einen Sack voll Gold. Der Zug bewegt sich nach links fort.

AKKI: Na?

NEBUKADNEZAR: Ich weiß nicht. Ich habe heute Pech. *Für sich:* Ich werde den Kerl noch zu meinem Finanzminister machen.

DER ENGEL: Du wirst diesem Bettler aus Ninive gehören, liebe Kurrubi.

KURRUBI: Wie ich mich freue. Ich liebe ihn. Er ist so hilflos.

Von links kommt ein jüngerer Mann mit fürchterlichem Haar und Bartwuchs, überreicht Akki eine Tontafel und erhält ein Goldstück, worauf er nach links abgeht.

NEBUKADNEZAR *verwundert:* Wer war denn das?

AKKI: Ein babylonischer Dichter. Er bekam ein Honorar.

Akki wirft die Tontafel ins Orchester.

Von rechts schleppen drei Soldaten den gefangenen Nimrod herein. Er ist im Königskleid, genau wie Nebukadnezar zu Beginn gekleidet.

NEBUKADNEZAR *erleuchtet:* Es mag sein, daß ich das profane Betteln verlernt habe. In Ninive geb' ich mich dem Kunstbetteln hin. Dort schleppen Soldaten einen Staatsgefangenen herbei, dessen Übeltaten die Welt an den Rand des Abgrunds brachten, wie die Historiker einmütig feststellen. Wer den erbettelt, hat den Zweikampf gewonnen.

AKKI *reibt sich die Hände:* Einverstanden. Eine kleine, aber saubere Kunstbettelaufgabe.

ERSTER SOLDAT: Wir schleppen herbei, überwältigt und gebunden, Nimrod, der einst König dieser Welt war.

NIMROD: Seht, ihr Bettler, wie mich die eigenen Soldaten gefesselt haben und wie das Blut, ob ihren Schlägen, aus meinem Rücken dringt! Ich verließ den Thron, den Aufstand des Herzogs von Lamasch niederzuschlagen, und wer setzt sich auf ihn? Mein Schemel!

NEBUKADNEZAR: Der war eben geistesgegenwärtig.

NIMROD: Jetzt bin ich unten, doch werde ich wieder nach oben steigen, jetzt ist Nebukadnezar oben, doch wird er wieder nach unten fallen.

NEBUKADNEZAR: Das wird nie geschehen.

NIMROD: Das ist immer geschehen seit Tausenden von Jahren. Mich dürstet.

Kurrubi schöpft mit beiden Händen Wasser aus dem Euphrat und gibt ihm zu trinken.

NIMROD: Das schmutzige Wasser des Stromes Euphrat schmeckt besser aus deinen Händen denn der Wein der Könige Babylons.

KURRUBI *schüchtern:* Willst du noch mehr trinken?

NIMROD: Meine Lippen sind naß, das genügt. Nimm dies zum Dank, Kind eines Bettlers: Wenn Soldaten dich nehmen wollen, schlag ihnen zwischen die Beine.

KURRUBI *entsetzt:* Warum sagst du das?

NIMROD: Kein König vermag dir mehr zu geben, Mädchen. In dieser Welt kannst du nichts Besseres wissen, als wie man Hunde behandelt.

ERSTER SOLDAT: Stopft dem Exkönig das Maul.

KURRUBI *weinend zum Engel:* Hörtest du, was er sprach, mein Engel?

DER ENGEL: Erschrick nicht über seine Worte, mein Kind.

Wenn du siehst, wie eben die ersten Strahlen eines unbekannten Gestirns den Euphrat berühren, erkennst du, daß die Welt vollkommen ist.

Auf einen Augenblick hin durchbricht die Sonne die sich langsam verdichtenden Morgennebel.

ERSTER SOLDAT: Schleppt den Exkönig weiter.

NEBUKADNEZAR: He!

ERSTER SOLDAT: Was will der Kerl?

NEBUKADNEZAR: Kommt her.

DIE SOLDATEN: Nu?

NEBUKADNEZAR: Beugt euch zu mir nieder, ich habe euch etwas zu sagen.

DIE SOLDATEN *neigen sich zu ihm nieder:* Na?

NEBUKADNEZAR *leise:* Wißt ihr, wer ich bin?

DIE SOLDATEN: Nö.

NEBUKADNEZAR *leise:* Ich bin euer oberster Kriegsherr Nebukadnezar.

DIE SOLDATEN: Hehe.

NEBUKADNEZAR: Gehorcht und ihr werdet zu Leutnants befördert.

ERSTER SOLDAT *hinterlistig:* Was befehlen Eure Gnaden?

NEBUKADNEZAR: Ihr übergebt mir den Exkönig.

ERSTER SOLDAT: Wie Hoheit befehlen.

Sie schlagen Nebukadnezar mit den Schwertknäufen nieder. Im Hintergrund springt der General mit gezücktem Schwert hervor, wird jedoch vom Erzminister zurückgerissen.

ERSTER SOLDAT: So'n Trottel!

KURRUBI: Oh!

DER ENGEL: Bleibe ruhig, mein Kind. Ein simpler Unfall, was nichts ausmacht bei der Harmonie der Dinge.

AKKI: Was schmettert ihr diesen braven Bettler aus Ninive zusammen, Soldaten?

ERSTER SOLDAT: Der Kerl behauptete, er sei der König Nebukadnezar.

AKKI: Lebt deine Mutter noch?

ERSTER SOLDAT *verwundert:* In Uruk.

AKKI: Dein Vater?

ERSTER SOLDAT: Gestorben.

AKKI: Bist du verheiratet?

ERSTER SOLDAT: Nö.

AKKI: Hast du eine Braut?

ERSTER SOLDAT: Durchgebrannt.

AKKI: Dann wird nur deine Mutter um dich zu trauern haben.

ERSTER SOLDAT *verständnislos:* He?

AKKI: Dein Name?

ERSTER SOLDAT: Mumabitu, Soldat in König Nebukadnezars Heer.

AKKI: Früh wird dein Kopf in den Sand rollen, Mumabitu, früh wird euer Fleisch den Geiern ein Fraß und eure Knochen den Hunden eine Lust sein, Soldaten des Königs.

DIE SOLDATEN: Wieso?

AKKI: Neigt eure Köpfe zu mir nieder, bald werdet ihr es nicht mehr können.

DIE SOLDATEN *neigen sich zu Akki nieder:* Na?

AKKI: Wißt ihr, wen ihr niedergeschlagen habt?

ERSTER SOLDAT: Einen Lügenbettler, der uns weismachen wollte, er sei Nebukadnezar, der König.

AKKI: Er sprach die Wahrheit. Ihr habt Nebukadnezar, den König, niedergeschlagen.

ERSTER SOLDAT: Das willst du uns aufbinden?

AKKI: Ihr habt wohl nie von der Gewohnheit der Könige gehört, als Bettler verkleidet am Ufer des Euphrat zu sitzen und Volksleben zu studieren?

DIE SOLDATEN: Nie.

AKKI: Ganz Babylon weiß das.

ERSTER SOLDAT: Ich komme von Uruk.

ZWEITER: Von Ur.

DRITTER: Von Lamasch.

AKKI: Und nun müßt ihr in Babylon sterben.

ERSTER SOLDAT *schielt ängstlich zu Nebukadnezar hinüber:* So'n Pech.

ZWEITER: So'n verfluchtes Pech.

DRITTER: Er röchelt.

AKKI: Nebi ist für seine grausamen und speziellen Todesstrafen bekannt. Lugalzagisi, den Statthalter von Akkad, hat er der heiligen Riesenschlange vorgeworfen.

ERSTER SOLDAT: Nebi?

AKKI: Nebukadnezar ist mein bester Freund. Ich bin der Erzminister Chamurapi, ebenfalls als Bettler verkleidet und Volksleben studierend.

Nun will im Hintergrund der Erzminister vorstürzen, wird nun aber vom General zurückgerissen.

DIE SOLDATEN *nehmen Stellung an:* Exzellenz!

AKKI *vornehm:* Was wollt ihr noch?

ERSTER SOLDAT *entsetzt:* Er seufzt!

ZWEITER: Er stöhnt!

DRITTER: Er bewegt sich!

AKKI: Hoheit erwacht.

DIE SOLDATEN *fallen verzweifelt auf die Knie:* Hilfe, Erzminister, Hilfe!

AKKI: Was wollte seine Herrlichkeit von euch?

ERSTER SOLDAT: Er befahl, den Exkönig herzugeben.

AKKI: Dann gebt ihn her. Euch sollen nur die Ohren abgeschnitten werden, will ich verfügen.

DIE SOLDATEN *voll Grauen:* Die Ohren?

AKKI: Ihr habt schließlich Majestät niedergeschlagen.

ERSTER SOLDAT *demütig:* Hier haben Sie den Exkönig, Exzellenz. Er ist gefesselt und sein Maul gestopft, daß er Sie nicht belästigt mit seinem Gerede.

Er wirft Nimrod neben Akki zu Boden.

AKKI: Nun rennt um euer Leben. Majestät erhebt sich!

Die Soldaten rennen davon und Nebukadnezar richtet sich mühsam auf.

AKKI *großartig:* Sieh diesen wackeren Exkönig, den ich erbettelt habe.

DER ENGEL *freudig:* Du hast den Bettlerzweikampf gewonnen, Akki von Babylon.

KURRUBI: Die Erde ist schön, mein Engel. Ich darf dem Bettler gehören, den ich liebe.

NEBUKADNEZAR *dumpf:* Die Soldaten waren Flegel. Wie hast du das gemacht?

26

AKKI: Ganz einfach. Ich gab dich als König von Babylon aus.

NEBUKADNEZAR: Das habe ich doch auch getan.

AKKI: Siehst du, das war der Fehler. Du mußt nie von dir behaupten, du seist der König, das wirkt unglaubhaft, sondern immer von einem andern.

NEBUKADNEZAR *düster:* Du hast mich besiegt.

AKKI: Ein schlechter Bettler bist du, Mann aus Ninive. Du mühst dich ab, ohne etwas zu erreichen.

NEBUKADNEZAR *erschöpft:* Der Sinn dieses schäbigen Berufs ist das Abmühen, das Abrackern.

AKKI: Wie wenig verstehst du von den Bettlern. Geheime Lehrer sind wir, Erzieher der Völker. Wir gehen in Fetzen, der Erbärmlichkeit des Menschen zuliebe, gehorchen keinem Gesetz, die Freiheit zu verherrlichen. Wir essen gierig wie Wölfe, trinken wie Schlemmer, den schrecklichen Hunger zu offenbaren, den verzehrenden Durst, der in der Armut liegt, und die Brückenbogen, unter denen wir schlafen, füllen wir mit dem Hausrat verschollener Reiche, damit deutlich werde, daß alles beim Bettler mündet im Sinken der Zeit. So kehre nun nach Ninive zurück und bettle besser, weiser denn zuvor. Und du, Bettler aus der Fremde: Handle, wie du gesehen hast, und das Dorf jenseits des Libanons gehört dir.

Von rechts kommen Hetäre und Magd vom Markt zurück.

TABTUM *zu Akki:* Hier hast du vier Goldstücke.

Sie gibt ihm vier Goldstücke.

AKKI: Gewaltig, junge Dame, hat sich deine Wohltätigkeit entwickelt. Ich werde es der Madame Chamurapi erzählen.

TABTUM *eifersüchtig:* Du gehst zur Chamurapi?

AKKI: Ich bin zum Morgenessen eingeladen.

Hinten taucht zornig der Erzminister auf.

TABTUM: Was gibt es dort?

AKKI: Was man so ißt bei Erzministern. Gesalzene Fische aus dem Roten Meer, Edamerkäse und Zwiebeln.

TABTUM: Bei mir gibt es Tigrishecht.

AKKI *springt auf:* Tigrishecht?

TABTUM: Mit einer Buttersauce und frischen Radieschen.

AKKI: Mit einer Buttersauce.

TABTUM: Hähnchen nach Sumererart.

AKKI: Hähnchen.

TABTUM: Dazu Reis und einen Libanoner zum Trinken.

AKKI: Ein Bettleressen!

TABTUM: Du bist eingeladen.

AKKI: Ich komme mit dir. Deinen Arm, Wunderschöne. Die Chamurapi mag warten mit ihrer bürgerlichen Kost.

Er geht mit Tabtum und der Magd nach links, Nimrod mit sich schleppend. Der Erzminister ballt die Fäuste und verschwindet.

DER ENGEL *erhebt sich:* Da dieser erstaunliche Mensch von uns gegangen, ist die Zeit gekommen, mich zu offenbaren.

Er wirft Bettlerkleid und Bart von sich und steht als wunderbarer, farbiger Engel da.

Nebukadnezar fällt auf die Knie und bedeckt sein Gesicht.

NEBUKADNEZAR: Dein Antlitz blendet mich, das Feuer deines Gewandes verbrennt mich, die Gewalt deiner Schwingen schmettert mich auf die Knie.

DER ENGEL: Ich bin ein Engel Gottes.

NEBUKADNEZAR: Was willst du, Erhabener?

DER ENGEL: Ich bin vom Himmel her zu dir gekommen.

NEBUKADNEZAR: Warum bist du zu mir gekommen, Engel? Was willst du von einem Bettler aus Ninive? Geh, Bote Gottes, zu Nebukadnezar, dem König. Er ist allein würdig, dich zu empfangen.

DER ENGEL: Könige, o Bettler Anaschamaschtaklaku, interessieren den Himmel nicht. Je ärmer hingegen ein Mensch ist, desto wohlgefälliger wird er dem Himmel.

NEBUKADNEZAR *erstaunt:* Wieso?

DER ENGEL *denkt nach:* Keine Ahnung. *Denkt weiter nach:* Eigentlich ist es merkwürdig. *Entschuldigend:* Ich bin kein Anthropologe. Ich bin Physiker. Meine Spezialität sind Sonnen. Hauptsächlich rote Riesen. Ich habe den Auftrag, zum geringsten der Menschen zu gehen, aber keine Fähigkeit, den Grund des Himmels zu wissen. *Erleuchtet:* Vielleicht ist es so, daß, je ärmer ein Mensch ist, desto mächtiger die Vollkommenheit aus ihm hervorbricht, die in der Natur ist.

Aus dem Hintergrund taucht Utnapischtim auf, mit erhobenem Finger, wie ein Schüler, der etwas sagen möchte.

NEBUKADNEZAR: Du glaubst, daß ich der geringste der Menschen bin?

DER ENGEL: Absolut.

NEBUKADNEZAR: Der ärmste?

DER ENGEL: Der allerärmste.

NEBUKADNEZAR: Und was hast du mir zu überbringen?

DER ENGEL: Unerhörtes, Einmaliges: Die Gnade des Himmels.

NEBUKADNEZAR: Zeige mir diese Gnade.

DER ENGEL: Kurrubi.

KURRUBI: Mein Engel?

DER ENGEL: Komm her, Kurrubi! Komm her, von Gottes Hand Erschaffene! Stelle dich vor den ärmsten der Menschen, vor den Bettler Anaschamaschtaklaku aus Ninive.

Sie stellt sich vor Nebukadnezar, der Engel enthüllt sie.

Nebukadnezar verhüllt mit einem Schrei sein Antlitz. Utnapischtim verzieht sich vor Schreck.

DER ENGEL *freudig:* Nun? Eine wackere Gnade des Himmels, eine prächtige Gnade, nicht wahr, mein Bettler aus Ninive?

NEBUKADNEZAR: Ihre Schönheit, Bote Gottes, übertrifft deine Majestät. Nur Schatten bist du vor ihrem Schein, nur Nacht bin ich vor ihrem Glanz.

DER ENGEL: Ein schönes Mädchen! Ein gutes Mädchen! Eben diese Nacht aus dem Nichts erschaffen.

NEBUKADNEZAR *verzweifelt:* Sie ist nicht für mich, den armen Bettler aus Ninive! Sie ist nicht für diesen unwürdigen Leib. Geh, sie ist nicht für mich, Engel, geh zu König Nebukadnezar, geh!

DER ENGEL: Ausgeschlossen.

NEBUKADNEZAR *flehend:* Der König allein ist würdig, diese Reine, diese Erhabene zu empfangen. Er wird sie in Seide kleiden, er wird kostbare Teppiche zu ihren Füßen breiten und eine goldene Krone auf ihr Haupt senken!

DER ENGEL: Er bekommt sie nicht.

NEBUKADNEZAR *bitter:* So willst du diese Heilige dem letzten der Bettler überlassen?

DER ENGEL: Der Himmel weiß, was er tut. Nimm sie. Ein gutes Mädchen, ein frommes Mädchen.

NEBUKADNEZAR *verzweifelt:* Was soll denn ein Bettler mit ihr tun?

DER ENGEL: Bin ich ein Mensch, der eure Bräuche kennt? *Er denkt nach:* Kurrubi!

KURRUBI: Mein Engel?

DER ENGEL: Hast du gesehen, was der erstaunliche Bettler Akki vollbrachte?

KURRUBI: Alles, mein Engel.

DER ENGEL: So handle wie er. Du gehörst diesem Bettler aus Ninive und sollst ihm helfen, ein ebenso tüchtiger Bettler wie Akki zu werden. *Zu Nebukadnezar:* Sie wird dir betteln helfen, Anaschamaschtaklaku.

NEBUKADNEZAR *entsetzt:* Dieses Kleinod von einer Gnade soll betteln?

DER ENGEL: Ich kann mir kaum denken, daß der Himmel anderes mit ihr im Sinne hat, wenn er sie schon einem Bettler schenkt.

NEBUKADNEZAR: An Nebukadnezars Seite würde sie die Welt regieren, an meiner bettelt sie!

DER ENGEL: Du mußt nun einmal lernen, daß das Weltregieren dem Himmel zukommt und das Betteln dem Menschen. Bettelt daher fleißig weiter. Doch alles mit Anstand. Nicht zuviel und nicht zuwenig. Wenn ihr euch auf einen soliden Mittelstand hinaufbettelt, ist es genügend. Lebt wohl.

KURRUBI *erschrocken:* Du willst mich verlassen, mein Engel?

DER ENGEL: Ich gehe, mein Kind. Ich habe dich zu den Menschen gebracht, und nun entschwebe ich.

KURRUBI: Ich kenne sie noch nicht.

DER ENGEL: Kenne ich sie, mein Kind? An mir ist es, die Menschen zu verlassen, und an dir, bei ihnen zu bleiben. Wir müssen beide gehorsam sein. Lebe wohl, mein Kind Kurrubi, lebe wohl.

KURRUBI: Bleib, mein Engel.

DER ENGEL *entbreitet die Schwingen:* Unmöglich. Ich habe schließlich noch einen Beruf. Ich muß die Erde untersuchen. Ich eile, zu messen, zu schürfen, zu sammeln, neue Wunder zu entdecken in der Erhabenheit des Alls, denn die Materie, mein Kind, habe ich bis jetzt nur im gasförmigen Zustand kennengelernt.

KURRUBI *verzweifelt:* Bleib, mein Engel, bleib!

DER ENGEL: Ich entschwebe! Ich entschwebe im Silber des Morgens. Sanft ansteigend, in immer weiteren Bogen Babylon umkreisend, entschwinde ich, eine kleine, weiße Wolke, die im Licht des Himmels zerflattert.

Der Engel entschwebt, das Bettlergewand und den roten Bart sorgfältig um den Arm gelegt.

KURRUBI: Bleib, mein Engel.

DER ENGEL *von ferne:* Lebe wohl, Kurrubi, mein Kind, lebe wohl! *Verschwindend:* Lebe wohl.

KURRUBI *leise:* Bleib! Bleib!

Nebukadnezar und Kurrubi stehen sich allein gegenüber im Silber des Morgens.

KURRUBI *leise:* Er ist entschwunden.

NEBUKADNEZAR: Er ging ein in seine Herrlichkeit.

KURRUBI: Nun bin ich bei dir.

NEBUKADNEZAR: Nun bist du bei mir.

KURRUBI: Ich friere im Nebel dieses Morgens.

NEBUKADNEZAR: Trockne deine Tränen.

KURRUBI: Weinen die Menschen denn nicht, wenn ein Engel des Himmels von ihnen geht?

NEBUKADNEZAR: Gewiß.

KURRUBI *studiert aufmerksam sein Antlitz:* Ich sehe keine Träne in deinen Augen.

NEBUKADNEZAR: Wir haben das Weinen verlernt und das Fluchen gelernt.

Kurrubi weicht zurück.

NEBUKADNEZAR: Du fürchtest dich?

KURRUBI: Ich zittere am ganzen Leib.

NEBUKADNEZAR: Entsetze dich nicht vor den Menschen, entsetze dich vor Gott: Er schuf uns nach seinem Bilde. Alles ist seine Tat.

KURRUBI: Seine Taten sind gut. Ich war geborgen in seiner Hand, ich war nahe seinem Antlitz.

NEBUKADNEZAR: Und nun warf er sein Spielzeug mir in den Schoß, dem geringsten und lumpigsten Geschöpf, das er auftreiben konnte in seinem All, dem Bettler Anaschamaschtaklaku aus Ninive. Von den Sternen hergekommen, stehst du mir gegenüber. Deine Augen, dein Gesicht und dein Leib offenbaren die Schönheit des Himmels, doch. was nützt die himmlische Vollkommenheit dem ärmsten der Menschen auf dieser unvollkommenen Erde? Wann lernt der Himmel, jedem zu geben, was er braucht? Die Armen und Machtlosen drängen sich aneinander wie Schafe und hungern, der Mächtige ist satt, doch einsam. Der Bettler hungert nach Brott, so soll der Himmel ihm Brot geben. Nebukadnezar hungert nach einem Menschen, so soll ihm der Himmel dich geben. Warum kennt der Himmel die Einsamkeit Nebukadnezars nicht? Warum verspottet er nun mit dir zugleich mich, den Bettler, und Nebukadnezar, den König?

KURRUBI *nachdenklich:* Ich habe eine schwere Aufgabe bekommen.

NEBUKADNEZAR: Was ist deine Aufgabe?

KURRUBI: Für dich zu sorgen, für dich zu betteln.

NEBUKADNEZAR: Du liebst mich?

KURRUBI: Dich gebar ein Weib, daß du mich liebst in Ewigkeit, und ich wurde aus dem Nichts erschaffen, daß ich dich liebe in Ewigkeit.

NEBUKADNEZAR: Mein Leib unter meinem Mantel ist weiß wie Schnee vor Aussatz.

KURRUBI: Ich liebe dich aber.

NEBUKADNEZAR: Die Menschen werden ob deiner Liebe mit Wolfszähnen nach dir schnappen.

KURRUBI: Ich liebe dich aber.

NEBUKADNEZAR: In die Wüste wird man dich treiben. Im roten Sand unter einer gleißenden Sonne wirst du verenden.

KURRUBI: Ich liebe dich aber.

NEBUKADNEZAR: Dann küsse mich, wenn du mich liebst.

KURRUBI: Ich küsse dich.

NEBUKADNEZAR *schlägt Kurrubi zu Boden, als sie ihn geküßt hat, und tritt sie mit Füßen:* So schlage ich zu Boden, was ich mehr liebe denn je einen Menschen, so trete ich dich mit Füßen, du Gnade Gottes, von der meine Seligkeit abhängt. Da! Da! Dies sind die Küsse, die ich gebe, die Antwort auf deine Liebe. Der Himmel soll sehen, wie ein Bettler sein Geschenk behandelt, wie der geringste der Menschen mit dem verfährt, was König Nebukadnezar mit seiner Liebe und mit dem Golde Babylons überhäuft hätte!

Von links kommt Akki, den gefangenen Nimrod mit sich schleppend.

AKKI *verwundert:* Was trittst du da auf diesem Mädchen herum, Bettler aus Ninive?

NEBUKADNEZAR *höhnisch:* Ich traktiere die Gnade des Himmels mit Füßen. Ein frisches Ding von einer Gnade, du kannst dich überzeugen, erst vergangene Nacht erschaffen, bestimmt für den erbärmlichsten der Menschen und mir von einem Engel persönlich überbracht. Willst du sie haben?

AKKI: Erst vergangene Nacht erschaffen?

NEBUKADNEZAR: Aus dem Nichts.

AKKI: Dann wird es eine unpraktische Gnade sein.

NEBUKADNEZAR: Dafür billig. Gegen deinen Gefangenen trete ich sie dir ab.

AKKI: Der ist schließlich ein Exkönig.

NEBUKADNEZAR: Ich gebe das Goldstück dazu, das ich erbettelt habe.

AKKI: Und für seinen historischen Wert?

NEBUKADNEZAR: Die zwei Silberlinge.

AKKI: Ein schlechtes Geschäft.

NEBUKADNEZAR: Nun, bist du mit dem Tausch einverstanden?

AKKI: Nur, weil du ein besonders hilfloser Bettler bist. Da. *Er wirft ihm den Exkönig vor die Füße.* Und du, mein Mädchen, gehörst mir. Erhebe dich. *Kurrubi erhebt sich langsam mit gesenk-*

tem Haupt. Ein Engel soll dich hergebracht haben. Ich bin ein Freund der Märchen, ich will das Unglaubliche glauben. Ich stütze mich auf dich, aus dem Nichts Erschaffene, der Libanoner machte mich wankend ein wenig, schwankend ein wenig. Du wirst die Erde nicht kennen, doch sei getrost, ich kenne sie. Dich schlug man einmal nieder, mich tausende Male. Komm. Wir gehen auf den Anuplatz. Eine günstige Zeit, Markttag ist heute, ich wittere Beute. Wir wollen doch sehen, was wir erbetteln, du mit deiner Schönheit und ich mit meinem roten Bart, du mit Fußtritten bedeckt und ich von einem König verfolgt.

KURRUBI *leise:* Ich liebe dich doch, mein Bettler aus Ninive.

Akki geht, auf Kurrubi gestützt, nach rechts hinaus.

Nebukadnezar steht mit dem gefesselten und geknebelten Nimrod zu seinen Füßen allein da.

Er reißt sich das Bettlergewand und den roten Bart ab, stampft darauf herum, steht dann in sich versunken, unbeweglich und düster.

Aus dem Hintergrund schleicht zitternd das Gefolge herbei.

DER ERZMINISTER *bestürzt:* Majestät!

NEBUKADNEZAR: Eine Frist von zehn Tagen sei dem Bettler Akki gewährt, die höchsten Staatsstellen sind ihm offen, wird er Beamter, sonst schicke ich ihm meinen Henker. Und du General, führe das Heer jenseits des Libanons. Erobere diese lächerlichen Dörfer, Sparthen, Mosking, Karthagau und Paka, oder wie sie auch alle heißen. Wir jedoch kehren mit dem gefangenen Exkönig in unseren Palast zurück, die Menschheit weiter zu erziehen, müde und traurig, vom Himmel beleidigt.

DEN ZWEITEN AKT LASSEN WIR UNTER EINER DER *Euphratbrücken spielen, im Herzen Babylons, Hochhäuser und Paläste schieben sich vor den unsichtbaren Himmel. Das Orchester stellt wieder den Strom dar, die Brücke wölbt sich von hinten über die Bühne, ist also im Querschnitt und von unten zu sehen. Hoch oben hört man den Verkehr der Riesenstadt. Das Rattern altbabylonischer Straßenbahnen, die melodischen Rufe der Sänftenträger. Links und rechts der Brücke führt eine schmale Treppe zum Euphratufer hinunter. Akkis Wohnung ist ein wildes Durcheinander der verschiedensten Gegenstände aller Zeiten. Sarkophage, Negergötzen, alte Königsthrone, babylonische Fahrräder und Autopneus und so weiter, versunken in legendärem Schmutz, vermodert, unter Bergen von Staub. Über diesem Wirrwarr, in der Mitte des aufstrebenden Brückenbogens, das Relief eines Gilgameschkopfs. Daneben halbzerrissene Bettlerplakate, überklebt mit weißen Streifen: «Heute letzter Termin». Rechts außen, nicht mehr von der Brücke überwölbt, eine Kochstelle mit einem Kessel. Der Boden roter Sand, bedeckt mit Konservenbüchsen, Dichtermanuskripten. Überall hangen vollgedichtete Pergamente und Tontafeln herum, kurz, die Personen scheinen sich auf einem riesenhaften Abfallhaufen zu bewegen. Vorne rechts baden einige krächzende, vermummte Gestalten im Euphrat, links schlafen zwei verdreckte babylonische Kriminelle, Omar der Taschendieb und Yussuf der Einbrecher, auf einem Sarkophag. Akki und Kurrubi treten von links auf, beide in zerrissenen Kleidern. Akki trägt einen Sack auf dem Buckel.*

AKKI: Verzieht euch, ihr Gelichter, ihr habt eure Diebstähle und Einbrüche nicht auf meinem Sarkophag auszuschlafen.

Omar und Yussuf huschen davon.

AKKI: Taucht eure Leiber weiter unten in die schmutzigen Wellen, ihr weißgefleckten Raben. Unnütz ist euer Gekrächz. Diese Brücke ist zu Ehren unseres Nationalhelden Gilgamesch erbaut und eignet sich nicht zur Stätte der Heilung. Vor allem die Nationalhelden bringen die Menschheit um, da kommen nicht einmal die Ärzte mit.

Die vermummten Gestalten verziehen sich.

KURRUBI: Was sind denn dies für Gestalten, ganz vermummt, die nun wegkriechen?

AKKI: Aussätzige. Hoffnungslose, die im Euphrat Hoffnung suchen. Die Wohnung wäre komfortabel, doch kaum kehrt man ihr den Rücken zu, nisten sich Unglückliche ein und Galgenvögel aller Art.

KURRUBI: Die Erde ist so anders, als der Engel sie sieht, mein Akki. Mit jedem Schritt, den ich tue, wächst die Ungerechtigkeit, die Krankheit, die Verzweiflung um mich her. Die Menschen sind unglücklich.

AKKI: Die Hauptsache ist, daß sie gute Kunden sind. Da. Wir haben wieder einmal einen gewaltigen Haufen zusammengebettelt. Eine Mittagspause, und dann nehmen wir in den hängenden Gärten unser Metier wieder auf.

Er stellt den Sack auf den Boden.

KURRUBI: Ja, mein Akki.

AKKI: Fortschritte hast du gemacht. Ich bin zufrieden. Nur eines ist zu rügen: Du lächelst, wenn dir jemand ein Geldstück zuwirft. Grundfalsch. Ein trauriger Blick wirkt echter, erschütternder.

KURRUBI: Ich will es mir merken.

AKKI: Übe dich bis morgen. Verzweiflung macht sich am besten bezahlt. *Er nimmt Erbetteltes aus der Tasche:* Perlen, Edelsteine, Goldstücke, Silberlinge, Kupfermünzen – fort damit. *Er wirft alles in den Euphrat.*

KURRUBI: Jetzt wirfst du das Geld wieder in den Euphrat.

AKKI: Nun?

KURRUBI: Es ist sinnlos, zu betteln, wenn du alles immer fortwirfst.

AKKI: Die einzige Übung, sich bettlerisch auf der Höhe zu halten. Verschwendung ist alles. Millionen erbettelte ich, Millionen versenkte ich. Nur so wird die Welt vom Reichtum erleichtert. *Er sucht weiter in seinen Taschen:* Oliven. Das sind nützlichere Gegenstände. Bananen, eine Büchse feinster Sardinen, Schnaps und eine Liebesgöttin der Sumerer aus Elfenbein. *Er betrachtet sie.* Doch die darfst du nicht sehen, sie ist nicht geschaffen für ein so junges Mädchen.

36

Er wirft die Liebesgöttin ins Innere des Brückenbogens.

KURRUBI: Ja, lieber Akki.

AKKI: Ja, mein Akki, ja lieber Akki, so geht das den ganzen Tag. Du bist betrübt.

KURRUBI: Ich liebe den Bettler aus Ninive.

AKKI: Dessen Namen du vergessen hast.

KURRUBI: Es ist ein so schwieriger Name. Aber ich werde nicht aufhören, meinen Bettler zu suchen. Ich werde ihn finden, einmal, irgendwo. Am Tage, auf den Plätzen Babylons und auf den Stufen der Paläste, denke ich an ihn, immerzu, und wenn ich die Sterne sehe in der Nacht, hoch und fern, über den steinernen Straßen, suche ich sein Antlitz in all den Meeren ihres Lichts. Dann ist er nah, dann ist er bei mir. Dann liegt auch er auf der Erde, mein Geliebter, in einem Lande, und erblickt mein Gesicht, groß und weiß, in der Sternenwolke, aus der ich niederstieg mit dem Engel.

AKKI: Deine Liebe ist ohne Hoffnung.

KURRUBI: Sie allein ist Hoffnung. Wie könnte ich auf dieser Erde leben, ohne die Liebe zu meinem Geliebten!

AKKI: Da man nicht auf dieser Erde leben kann, habe ich beschlossen, von dieser Erde zu leben und bin ein Bettler geworden. Wir befinden uns unter der besten Brücke Babylons, die ich habe finden können. Mein Appartement darf nicht durch den Gedanken an einen Mann entweiht werden, der in einer Stunde nur ein Goldstück und zwei Silberlinge erbettelte. *Stutzt.* Was hängt denn da herum? Natürlich. Poeme. Die Dichter waren hier.

KURRUBI *freudig:* Darf ich die Gedichte lesen?

AKKI: Die babylonische Dichtkunst ist in einer so großen Krise, daß sich die Lektüre nicht empfiehlt. *Er nimmt ein Blatt und wirft es nach kurzer Betrachtung in den Euphrat:* Liebesgedichte. Nichts anderes, seit ich dich gegen den Exkönig eingetauscht habe. Koch eine Suppe, das ist besser. Hier, frisch gebetteltes Rindfleisch dazu.

KURRUBI: Ja, mein Akki.

AKKI: Ich dagegen will mich in meinen Lieblingssarkophag zurückziehen.

Er öffnet den Sarkophag in der Mitte der Bühne, fährt jedoch zurück, wie sich daraus ein Dichter erhebt.

AKKI *streng:* Was machst du in diesem Sarkophag?

DER DICHTER: Ich dichte.

AKKI: Hier hast du nicht zu dichten. Das ist der Sarkophag der lieblichen Lilith, die einst meine Geliebte war, und in welchem ich die Sintflut überstanden habe. Leicht wie ein Vogel trug er mich über die regnerischen Meere. Marsch, dichte anderswo weiter! Da, noch einige Zwiebeln.

Er wirft Kurrubi noch einige Zwiebeln zu und legt sich in den Sarkophag. Der Dichter verzieht sich. Kurrubi kocht. Auf der Treppe links kommt der Polizist Nebo herunter, wischt sich den Schweiß ab.

DER POLIZIST: Ein heißer Tag, Bettler Akki, ein strenger Tag.

AKKI: Sei gegrüßt, Polizist Nebo. Ich würde mich gern zu deinen Ehren erheben, denn ich habe einen Heidenrespekt vor der Polizei, doch muß ich meinen Rücken noch etwas schonen. Du hast mich bei meinem letzten Besuch auf dem Wachtposten mit glühenden Zangen gezwackt und meine Knochen mit ziemlichen Gewichten belastet.

DER POLIZIST: Ich habe strikte nach den Vorschriften gehandelt, die Erziehung widerspenstiger Bettler zu ordentlichen Staatsbeamten betreffend, und wollte nur dein Bestes.

AKKI: Das war lieb von dir. Darf ich dir den Sarkophag eines übereifrigen Polizisten anbieten?

DER POLIZIST: Ich ziehe vor, mich auf diesen Stein zu setzen.

Er setzt sich.

Sarkophage stimmen mich traurig.

AKKI: Es ist der Thron des letzten Häuptlings der Höhlenbewohner. Ich habe ihn von seiner Witwe. Nimm einen Schluck Roten aus Chaldäa.

Er nimmt eine Flasche aus seinem Mantel und gibt sie dem Polizisten.

DER POLIZIST *trinkt:* Danke schön. Ich bin erschöpft. Die Strapazen meines Berufes steigern sich von Tag zu Tag. Ich mußte eben die Schulbücher einsammeln und die Geographen und Astronomen verhaften.

38

AKKI: Was haben denn die verbrochen?

DER POLIZIST: Die Welt erwies sich größer als ihre Berechnungen. Jenseits des Libanons befinden sich noch einige Dörfer. Auch die Wissenschaft hat vollkommen zu sein in unserem Staat.

AKKI: Der Anfang vom Ende.

DER POLIZIST: Nun rückt das Heer aus, diese Dörfer zu erobern.

AKKI: Die ganze Nacht rollte es über die Gilgameschbrücke gen Norden. Ich wittere einen allgemeinen Zusammenbruch.

DER POLIZIST: Als Beamter habe ich nur zu gehorchen, nicht nachzudenken.

AKKI: Je vollkommener ein Staat ist, desto dümmere Beamte braucht er.

DER POLIZIST: Sagst du jetzt. Bist du jedoch einmal Beamter, wirst du unseren Staat bewundern lernen. Ein Licht über seine Vortrefflichkeit wird dir aufgehen.

AKKI: Ach so. Deshalb bist du gekommen. Du willst die Erziehung zu einem Staatsbeamten an mir fortsetzen.

DER POLIZIST: Ich lasse nicht locker.

AKKI: Das habe ich auf der Polizeiwache bemerkt.

DER POLIZIST: Ich bin amtlich hier.

AKKI: Ich habe auch so das Gefühl.

Der Polizist nimmt ein Büchlein hervor.

DER POLIZIST: Heute ist der letzte Termin.

AKKI: Wirklich?

DER POLIZIST: Du hast auf dem Anuplatz gebettelt.

AKKI: Aus Versehen.

DER POLIZIST: Ich habe eine Neuigkeit für dich.

AKKI: Eine neue Folterzange?

DER POLIZIST: Eine neue Bestimmung. In Anerkennung deiner Fähigkeiten bist du zum Chef des Amtes für Betreibung und Konkurs ernannt worden, auch interessiert sich das Finanzministerium für dich, man munkelt amtlicherseits von einer beachtlichen Karriere.

AKKI: Karrieren, Polizist Nebo, interessieren mich nicht.

DER POLIZIST: Du weigerst dich, den hohen Posten anzunehmen?

AKKI: Ich ziehe vor, freischaffender Künstler zu bleiben.

DER POLIZIST: Du willst weiterbetteln?

AKKI: Mein Beruf.

Der Polizist steckt sein Büchlein wieder ein.

DER POLIZIST: Schlimm, das ist schlimm.

Akki will sich erheben.

AKKI: Bitte, Polizist Nebo. Du kannst mich wieder auf den Polizeiposten führen.

DER POLIZIST: Nicht nötig. Der Henker wird kommen.

Stille. Akki greift sich unwillkürlich an den Hals. Dann beginnt er den Polizisten auszuforschen.

AKKI: Der kleine dicke?

DER POLIZIST: Aber nein. Es henkt ein großer, hagerer in unserem Lande, ein Meister seines Fachs. Es ist eine wahre Lust, ihm zuzuschauen. Technisch hinreißend.

AKKI: Du meinst den berühmten Vegetarier?

DER POLIZIST *kopfschüttelnd:* Nimm mir's nicht übel, in der Henkerei bist du ein Stümper. Du verwechselst ihn mit dem Henker von Ninive, der unsrige liebt gute Bücher.

AKKI *erleichtert:* Der Mann ist in Ordnung.

DER POLIZIST: Er ist auf dem Weg zu dir.

AKKI: Es wird mich freuen, ihn kennenzulernen.

DER POLIZIST: Es wird ernst, Bettler Akki, ich warne dich! Er wird dich henken, wenn er dich nicht in den Staatsdienst eingetreten findet.

AKKI: Ich stehe ihm zur Verfügung.

KURRUBI *erschrocken:* Sie wollen dich töten?

AKKI: Kein Grund, sich aufzuregen, mein Mädchen. Jch bin so oft bedroht worden in den Stürmen meiner Laufbahn, daß es mir nichts mehr ausmacht.

Die Sarkophage öffnen sich, Dichter schnellen empor, kriechen unter allen möglichen Dingen hervor.

EINER: Ein neues Thema!

EIN ANDERER: Ein gewaltiges Thema!

EIN DRITTER: Welcher Stoff!

EIN VIERTER: Welche Möglichkeit!

ALLE: Erzähle, Bettler, erzähle!

AKKI: So hört die Makame meines Lebens: In jungen Jahren, vor viel tausend Jahren, wie ich unerfahren, war ich eines Kaufmanns Sohn. Mein Vater in goldenem Kleide, meine Mutter in Silbergeschmeide, das Haus voll Teppich, Samet und Seide. Das Silber wird schwarz, das Gold rollt davon, da rollte es schon: In Babylon fraß alles die Firma Enggibi und Sohn. Schon brannte der Vater, die Mutter schon, auf der Scheiterbeige, es kam keiner davon.

DIE DICHTER: Es kam keiner davon.

AKKI: Ein Prophet kam, aus dem Bergland Elam, der mich zu sich nahm; und er hielt mich wie einen Sohn. Lag Tag und Nacht vor dem Altar, brachte den Göttern Opfer dar, in Fetzen gehüllt und Asche im Haar. Die Religion wird schwarz, die Gnad' rollt davon, da rollte sie schon: In Babylon wechselte der Priesterthron. Schon brannte der Prophet, die Götter schon, auf der Scheiterbeige, es kam keiner davon.

DIE DICHTER: Es kam keiner davon.

AKKI: Der mich nun aufzog, war General, gepanzert in Eisen, bewaffnet mit Stahl, und tat getreu, was der König befahl; nie war geehrter einer Mutter Sohn. Stach den Feind vom Roß, besaß ein Schloß, unermeßlich war sein rasselnder Troß. Die Ehre wird schwarz, das Amt rollt davon, da rollte es schon: In Babylon wechselte der Königsthron. Schon brannte der General, die Knappen schon, auf der Scheiterbeige, es kam keiner davon.

DIE DICHTER: Es kam keiner davon.

AKKI: Wie der Reiche verdarb und der Fromme starb, und auch der Starke den Tod erwarb, sagte sich meiner Mutter Sohn: Der Mensch sei wie Sand, Sand allein hält stand den Tritten der Schächer, der Henker im Land. Die Zeit wird schwarz, die Macht rollt davon, laß rollen sie schon: Von Babylon, bleibt nur ein Bettler, bekränzt mit Mohn, und brennt sein Bart, sein Mantel schon, auf der Scheiterbeige, er kommt davon.

EIN DICHTER: Die Makame deiner Liebesnacht mit der Prinzessin Thetis.

EIN ANDERER: Wie du die Schatzkammer erbettelst.

EIN DRITTER: Die Riesen Gog und Magog.

AKKI: Nichts da. Ich habe Besuch. Kurrubi, koch weiter.

DER POLIZIST *verwundert, wie die Dichter verschwinden:* Beim Himmel, deine Wohnung scheint voller Dichter zu sein.

AKKI: In der Tat. Ich bin auch überrascht. Ich sollte vielleicht meinen Brückenbogen wieder einmal reinigen.

Der Polizist erhebt sich und wird feierlich.

DER POLIZIST: Vielbesungener. Du bist entschlossen, dich henken zu lassen?

AKKI: Ganz und gar.

DER POLIZIST: Ein bitterer Vorsatz, doch habe ich ihn zu respektieren.

AKKI *verwundert:* Was ist denn mit dir los, Polizist Nebo? Du bist so feierlich und verneigst dich immer.

DER POLIZIST: Die Frage, Erhabener, wird dich bewegen, was mit Kurrubi geschehe, wenn du nicht mehr bist. Auch ich bin in Sorge. Die Babylonier beneiden dich. Sie sind empört, daß Kurrubi in Armut lebt. Sie versuchen, dir das Mädchen zu entreißen. Fünf Personen hast du niedergeschlagen, die dich überfielen.

AKKI: Sechs. Du vergissest den General, den ich über die Ischtarbrücke schmiß. Wie ein Komet sauste er in die nächtliche Tiefe.

DER POLIZIST *verneigt sich aufs neue:* Das Mädchen braucht einen Beschützer, Erhabener. Nie sah ich ein schöneres Kind. Ganz Babylonien spricht von ihm, von Ur, von Uruk, aus Chaldäa und Uz, aus dem ganzen Reich wandern Leute herbei, es zu preisen. Die Stadt versinkt im Liebestaumel. Jeder denkt an Kurrubi, jeder träumt von ihr, jeder liebt sie. Drei Söhne höchsten Adels haben sich ihretwegen ertränkt. Die Häuser, die Gassen, die Plätze, die hängenden Gärten, die Gondeln auf dem Euphrat sind voll von Seufzern, voll von Gesängen, Bankiers fangen an zu dichten, Beamte zu komponieren.

Oben auf der Treppe rechts wird der Bankier Enggibi mit einer altbabylonischen Gitarre sichtbar.

ENGGIBI:

Ein Mädchen kam nach Babylon,
Auf einmal war es da.
Ich dichte Reim seit Tagen schon,
Weiß nicht, wie mir geschah.

DER POLIZIST: Siehst du!

ENGGIBI:

Den Börsenkurs vergesse ich
Und denk nur an Kurrubi,
Und ob, und ob sie vielleicht denkt
An mich, an mich, Enggibi.

AKKI *verwundert:* Der Bankier.

Oben auf der Treppe links erscheint Ali ebenfalls mit einer Gitarre.

ALI:

Ich handelte mit rotem Wein,
Nun dichte, dichte, dicht' ich.
Du schönes Bettlerwunderkind,
Erlöse doch, erlös mich!

DER POLIZIST: Noch einer.

AKKI: Der Weinhändler Ali!

ENGGIBI: Ich bin erstaunt, Weinhändler Ali. Du wendest mein Versmaß an.

ALI *würdig:* Mein Versmaß, Bankier Enggibi, ich muß doch bitten, mein Versmaß.

Die Dichter tauchen auf.

DIE DICHTER: Mein Versmaß! Mein Versmaß!

Sie verschwinden wieder.

AKKI: Immer das gleiche. Beginnt einer zu dichten, schon wird er des Plagiats bezichtigt.

Der Polizist reißt entschlossen ein Gedicht aus der Uniform.

DER POLIZIST:

Ich war ein strenger Polizist,
Treu, redlich und korrekt.

Da hat das Mädchen Wunderschön
Die Lieb in mir erweckt.

AKKI: Polizist Nebo!

DER POLIZIST:

Nun träume ich im Stoßverkehr
Und gebe falsche Zeichen,
O Mädchen hold, o Mädchen hehr,
Gib mir ein gutes Zeichen!

AKKI *streng:* Was fällt dir ein! Du hast mit dem Dichten aufzu-
räumen und es nicht zu vermehren.

*Der Polizist rollt sein Gedicht verlegen zusammen, ist außerdem
in der folgenden Rede durchs andauernde Geklimper des Bankiers
und des Weinhändlers gestört.*

DER POLIZIST: Verzeih. Ein plötzlicher Drang. Ich bin sonst
amusisch, doch wie letzte Nacht der Mond über den Euphrat
stieg, gelb und groß, und wie ich an Kurrubi dachte – und auf
einmal mußte ich mein Gedicht vortragen, wie alles um mich
herum dichtete. *Er verneigt sich:* Mein Bettler. Ich bin ein Nebo.
Ich besitze ein Häuschen in der Libanonstraße. Ich werde auf
Neujahr zum Wachtmeister befördert.

Von links kommen die zwei Arbeiter.

ERSTER ARBEITER: Da ist er ja, der Bettler Akki, der die Ehre
der Arbeiterschaft hochhält.

ZWEITER ARBEITER: Natürlich. In einem Sarkophag.

ERSTER ARBEITER: Am heiterhellen Tag faulenzt er herum,
der Oberarbeiter Babylons.

ZWEITER ARBEITER: Und das Mädchen verschmutzt und
zerissen.

ERSTER ARBEITER: Eine Schande.

ZWEITER ARBEITER: Dabei schaufelt er Gold und Silber in
den Euphrat.

ERSTER ARBEITER: Nichts als Dichter ernährt er. Als ob wir
etwa nicht auch dichten könnten.

*Beide entrollen Gedichte, die sie vorlesen wollen. Akki richtet sich
in seinem Sarkophag entsetzt auf.*

AKKI: Bitte nicht!

ERSTER ARBEITER: Es nimmt mich nur wunder, woher der ein so schönes Mädchen hat.

AKKI: Ich erhielt es von jenem unbegabten Bettler am Quai, dem es nicht einmal gelang, von euch eine Kupfermünze zu erbetteln.

ZWEITER ARBEITER: Von diesem Trottel?

ERSTER ARBEITER: Und woher hat's denn der, he?

AKKI: Es ging wie im Märchen zu. Ein Engel brachte ihm das Mädchen, herniederschwebend aus dem Nebel der Andromeda.

Die Dichter tauchen auf.

DIE DICHTER: Ein Engel?

ALI: Ausgerechnet!

DIE DICHTER: Welch neues Thema für unsere Lieder!

AKKI: Das möchte ich mir energisch verbeten haben!

Die Dichter verschwinden.

ERSTER ARBEITER: Das sollen wir glauben?

ENGGIBI: Vom Nebel der Andromeda? Das ist schon naturwissenschaftlich nicht möglich.

Gelächter.

ZWEITER ARBEITER: Alles Schwindel. Es gibt keine Engel. Die sind von den Priestern erfunden.

ENGGIBI: Ich wittere eine Entführung.

ALI: Das müßte die Polizei untersuchen.

DER POLIZIST: Die Polizei findet keinen Grund, am Engel zu zweifeln. Im Gegenteil. Gerade die Atheisten sind ihr seit jeher verdächtig vorgekommen.

Nun kommt die Hetäre Tabtum rechts die Treppe herunter.

TABTUM: Ein Skandal, eine Schande!

AKKI: Sei gegrüßt, junge Dame.

Die Hetäre betastet Kurrubi als wäre diese ein Pferd.

TABTUM: Da ist nun die Person. Hat sie ein besseres Gebiß als irgendwer? Festere Schenkel? Einen schöneren Wuchs? So geschaffene Mädchen gibt es zu Tausenden und billig.

KURRUBI: Du hast mich nicht anzurühren. Ich habe dir nichts getan.

TABTUM: Du hast mir nichts getan? Nun höre mal einer die Unschuld! Und nicht anrühren soll ich das Lämmchen! Ich rühre dich an, darauf kannst du dich verlassen. Ganz Babylon machst du mir abspenstig und spielst die Zimperliche!

KURRUBI: Ich mache dir niemanden abspenstig. Ich liebe meinen Bettler aus Ninive und nur ihn.

TABTUM: Du liebst einen Bettler aus Ninive? Auf die Bankiers von Babylon hast du's abgesehen und nur auf die!

Sie will Kurrubi in die Haare, die zu Akki flüchtet.

ERSTER ARBEITER: Willst du vom Mädchen lassen, Hure!

ALI: Die Worte, die das Kind vernehmen muß.

ENGGIBI: Das Mädchen gehört in ein anderes Milieu.

TABTUM: In ein anderes Milieu? So eine! Mein Milieu ist den Bankiers und Weinhändlern immer gut genug gewesen.

AKKI: Was erzürnt dich, Wunderschöne?

TABTUM: Gibt es nicht ein diskreteres Haus als das meine? Habe ich nicht die schönsten Brüste Babylons?

AKKI: Ich begreife nicht, was diese Organe mit Kurrubi zu tun haben.

TABTUM: Ich gebe mir Mühe, schön und jung zu bleiben, esse Diät, nehme Bäder, lasse mich massieren, und der Erfolg? Kaum taucht diese Person auf, gehen meine Kunden dichten.

ENGGIBI *von oben rechts:* Kurrubi erhebt uns!

ALI *von oben links:* Begeistert uns.

ERSTER ARBEITER: Nun wissen wir, wofür wir schuften.

ZWEITER ARBEITER: Für einen Silberling die Woche.

DER POLIZIST: Wir sind geistig geworden.

ALI, ENGGIBI, DIE ARBEITER, DER POLIZIST *gemeinsam, getragen und feierlich:*
Nämlich uns erregt ein Feuer
Tief den Busen, kaum bemeistert.

AKKI: Ich kann in meiner Wohnung keine Dichtungen mehr dulden!

DIE ANDEREN *zu denen noch die auftauchenden Dichter kommen:*
Ach, der Mensch wird ungeheuer,
Wenn die Liebe ihn begeistert,
Sieht das Schöne, fühlt das Rechte,
Meidet, was nicht frommt, das Schlechte!

TABTUM: Geistig seid ihr geworden? Das soll ich mir einbilden? Damit kommt mir die Kleine nicht. In meinem Beruf wird ehrlich gearbeitet.

Von rechts kommen die Frauen der beiden Arbeiter. Die Dichter verschwinden erschrocken.

ERSTE ARBEITERFRAU: Unter der Gilgameschbrücke treibt sich mein Alter herum? In der verrufensten Gegend.

ERSTER ARBEITER: Aber Mutti. Bin doch nur ganz zufällig vorbeigekommen, Mutti.

ZWEITE ARBEITERFRAU: Und der meine ist auch da!

ZWEITER ARBEITER: Geht's dich was an? Soll ich erzählen, was du mit dem Arbeitersekretär treibst?

Der Polizist wendet sich entschlossen zu Kurrubi, die bei Akki Zuflucht gefunden hat und neben dem Sarkophag kauert, in welchem er sitzt.

DER POLIZIST: Mein Mädchen. Ich bin ein Nebo. Ich besitze ein Häuschen an der Libanonstraße. Ich werde auf Neujahr zum Wachtmeister befördert. Die Nebos haben immer gute Ehemänner abgegeben. Darf sagen, daß wir in unseren Kreisen in dieser Hinsicht einen gewissen Ruhm genießen. Du würdest glücklich sein. Es ist mein tiefster Wunsch, dich voll und ganz...

Der erste Arbeiter stürzt hinzu.

DER ERSTE ARBEITER: Mein Mädchen. Ich bin ein Hassan. Es ist mein tiefster Wunsch, dich voll und ganz glücklich zu machen. Ich wohne fast auf dem Lande und besitze ein Schrebergärtchen. Mutti wird dir die gute Stube einrichten. Du wirst gesund leben, du wirst einfach leben, du wirst zufrieden leben.

ERSTE ARBEITERFRAU: Er ist verrückt geworden.

Der zweite Arbeiter drängt sich heran.

DER ZWEITE ARBEITER: Mein Mädchen. Ich bin ein Sindbad. Du gehörst in ein gesundes Proletariermilieu. Meine Alte wird dir ebenfalls die gute Stube einrichten. Ich werde dich aufklären. Ich werde dir die Augen öffnen über die Umtriebe der Kapitalisten. Tag und Nacht werde ich dich für den heiligen Kampf der Arbeiterklasse vorbereiten!

ZWEITE ARBEITERFRAU: Jetzt ist auch mein Alter übergeschnappt!

Von rechts stürzt der Eselmilchverkäufer auf die Bühne und fällt vor Kurrubi auf die Knie.

GIMMIL: Mein Mädchen. Ich bin ein Gimmil. Ich besitze ein Mietshaus im Euphratviertel. Wohne in der sechsten Etage, Lift und Aussicht auf die hängenden Gärten stehen zur Verfügung. Du wirst bürgerliche Luft atmen, aber du wirst glücklich atmen!

DIE FRAUEN: Jagt sie aus der Stadt, jagt sie aus der Stadt.

Nun haben sich ihr auch Ali und Enggibi genähert.

ALI: Mein Mädchen. Ich bin ein Ali, Besitzer der Alischen Weinhandlung, Eigentümer eines Stadthauses und einer Villa am Tigrisufer. Du brauchst vor allem einen Fels, mein Mädchen, einen Fels, woran du dich klammern kannst. Ich bin dieser Fels. An mich kannst du dich klammern. Es ist meine Überzeugung...

DIE DICHTER *tauchen auf:* Kurrubi gehört zu uns, Kurrubi gehört zu uns.

ENGGIBI: Mein Mädchen! Ich bin ein Enggibi, der Seniorchef des weltweiten Bankhauses Enggibi und Sohn, doch das ist nicht das Wichtigste. Meine Paläste, meine Aktien, meine Landgüter, all dies ist vergänglich. Wichtig ist, daß du ein Herz brauchst, ein mitfühlendes, lebendiges Menschenherz; in mir schlägt dieses Herz!

DIE FRAUEN: Jagt sie aus der Stadt! Jagt sie aus der Stadt!

DIE DICHTER *gleichzeitig:* Kurrubi gehört zu uns! Kurrubi gehört zu uns!

Riesenhaft angewachsener Tumult. Plötzlich sitzt der Engel auf dem Gilgameschkopf. Tannzapfen, Mohn im Haar, Sonnenblumen, Tannzweige usw. im Arm.

DER ENGEL: Kurrubi, mein Kind Kurrubi!

ALLE *in höchstem Entsetzen:* Ein Engel!

Sie stürzen alle außer Kurrubi zur Erde und suchen sich zu verbergen.

KURRUBI: Engel, mein Engel!

DER ENGEL: Ganz zufällig, mein Mädchen, erblickte ich dich in diesem fröhlichen Tumult, wie ich vorüberflog.

KURRUBI: Hilf mir, mein Engel!

DER ENGEL: Die Erde, mein Kind, welch lieblicher Fund, ich

bin begeistert, beglückt. Erstaunen durchzittert mich, Wunder um Wunder durchglüht mich, Erkenntnis Gottes durchbebt mich. Ich kann nicht aufhören, zu studieren und zu untersuchen. Aufgeregt flattere ich hin und her, preisend, sammelnd, notierend, Tag und Nacht forsche ich, unablässig, unermüdlich. Und dabei bin ich noch nicht einmal in die Meere getaucht, in diese Wasser ringsumher. Ich kenne nur die mittleren Regionen und den Nordpol. Sieh, was ich dort gefunden habe: Gefrorenen Tau. *Er zeigt einen Eiszapfen.* Als Sonnenforscher habe ich nie auch nur annähernd etwas so Köstliches gefunden.

KURRUBI: Der Bettler aus Ninive hat mich verlassen, mein Engel. Ich liebe ihn, und er hat mich verlassen.

DER ENGEL: Verwirrung, mein Kind, nichts als Verwirrung. Nur Geduld, und er kommt wieder. Die Schönheit der Erde ist so über allem Maß, daß man ein wenig verwirrt wird dabei. Das ist natürlich. Wer könnte auch dieses zarte Blau über den Dingen ohne weiteres ertragen, den rötlichen Sand und das Silber des Bachs. Wer betet da nicht, wer erschauert da nicht. Und erst die Pflanzen und Tiere! Das Weiß der Lilie, der gelbe Löwe, die braune Gazelle. Sogar die Menschen sind verschieden gefärbt. Sieh nur dieses Wunder. *Er zeigt auf eine Sonnenblume:* Kommt so etwas auf dem Aldebaran vor, auf dem Kanopus, auf dem Ataïr?

KURRUBI: Die Menschen stellen mir nach, mein Engel. Unglück brachte ich der Stadt Babylon. Tränen trägt der Euphrat ins Meer. Was ich auch finde, Liebe oder Haß, tötet mich.

DER ENGEL: Wird sich klären, mein Mädchen, wird sich klären, aufs schönste, aufs herrlichste.

Er entbreitet die Schwingen.

KURRUBI: Verlaß mich nicht, mein Engel! Steh mir bei! Hilf mit deiner göttlichen Kraft. Trag mich zu meinem Geliebten!

DER ENGEL: Ich muß die Zeit nutzen hienieden. Nichts Unnötiges darf ich mir erlauben. Nur allzu bald kehre ich auf den Andromedanebel zurück und krieche in roten Riesen herum. Muß studieren, mein Mädchen, muß studieren.

Neue Erkenntnisse gehen mir auf.
Über blaue Meere, Wälder,
Über Kontinente, Hügel,
Silberhell durch Wolkenfelder
Schweb' ich, gleit' ich, wie geblendet,
Hin mit sanft gespanntem Flügel,
Ganz der Erde zugewendet.

AKKI *müde:* Jetzt fängt auch *er* an zu dichten.

DER ENGEL:
Seh zu Blume, Tier, gestaltet,
Was in Sternen formlos waltet.
Feuertrunken der Gesichte,
Sinke, steige ich im Lichte.

KURRUBI: Bleib, mein Engel, bleib!

DER ENGEL: Lebe wohl, Kurrubi, mein Kind, lebe wohl.
Entschwindend: Lebe wohl.

Kurrubi ist auf die Knie gesunken und bedeckt ihr Gesicht. Endlich erheben sich die Menschen, bleich und taumelnd.

DIE DICHTER *vorsichtig die Köpfe aus den Sarkophagen steckend:* Es war also doch ein Engel.

GIMMIL *stotternd:* Am heiterhellen Tag.

DER POLIZIST *sich den Schweiß abwischend:* Und sitzt auf dem Kopf unseres Nationalhelden.

ERSTER ARBEITER *noch wie träumend:* Ein prächtiger Bote Gottes.

ERSTE ARBEITERFRAU *ebenso:* Voll ausgewachsen, mit farbigen Federn.

ZWEITER ARBEITER: Wie eine riesige Fledermaus umflatterte er mein Haupt.

ENGGIBI: Ich stifte eine Glocke: Die Enggibiglocke.

ALI: Einen Freitisch für Theologen: Die Alistiftung.

DIE FRAUEN: Wir gehen beichten.

DIE BEIDEN ARBEITER UND GIMMIL: Wir treten auf der Stelle in die Landeskirche ein!

DER POLIZIST: Zum Glück war ich immer kirchlich!

ENGGIBI: Babylonier! Ein Engel schwebte hernieder. Die Stunde der Besinnung ist gekommen. Als Bankier, als Mann der kühlen Überlegung muß ich sagen: Die Zeiten sind bedenklich.

ERSTER ARBEITER: Die Löhne werden schlechter!

GIMMIL: Die Kuhmilch kommt auf!

ALI: Der Weinkonsum geht zurück.

ENGGIBI: Dazu kommen Mißernten.

ERSTE ARBEITERFRAU: Erdbeben!

ZWEITER ARBEITER: Heuschreckenschwärme.

ENGGIBI: Eine unstabile Währung, letztes Jahr eine Pockenepidemie und vorletztes Jahr die Pest. Warum dies alles? Weil wir nicht an den Himmel glaubten. Wir waren alle mehr oder weniger Atheisten. Nun hat er sich durch einen Engel geoffenbart. Es kommt jetzt darauf an, wie wir das Mädchen behandeln, das der Engel auf die Erde brachte, herniedersteigend aus dem Nebel der Andromeda.

GIMMIL: Es darf nicht mehr in Armut leben!

ERSTER ARBEITER: Es muß fort von diesem Bettler.

ZWEITE ARBEITER: Von diesen Dichtern.

ENGGIBI: Erweisen wir ihm die größte Ehre, die wir zu vergeben haben, und der Himmel ist versöhnt. Ernennen wir es zu unserer Königin. Sonst ist das Schlimmste zu befürchten. Wir können uns einen zornigen Himmel nicht leisten. Eine Sündflut haben wir schon mit Müh und Not durchgemacht, und eine Wirtschaftskrise dürfte eine noch größere Katastrophe werden.

ERSTE ARBEITERFRAU: Zum König mit dem Himmelsmädchen!

ALLE: Zu Nebukadnezar.

ERSTER ARBEITER: Es soll unsere Königin sein!

ALLE: Unsere Königin!

DIE DICHTER: Bleib bei uns, Kurrubi, bleib bei uns!

KURRUBI: Ich will bei dir bleiben, Bettler Akki, bei dir unter dieser Brücke, nahe den Wellen des Euphrat, nahe deinem Herzen.

Die Menge nimmt eine drohende Haltung an.

EINIGE: Werft den Bettler in den Strom!

51

Sie wollen sich auf Akki stürzen, doch hält sie der Polizist mit einer energischen Handbewegung zurück.

DER POLIZIST: Du kennst meine Gefühle, Bettler. Du weißt, daß ich ein Häuschen in der Libanonstraße besitze, wie sehr ich als ein Nebo in der Lage gewesen wäre, Kurrubi glücklich zu machen. In bescheidenem Rahmen natürlich. Doch nun ist es meine Pflicht, das Mädchen dem König zu überbringen, und die deine, es ziehen zu lassen.

Er wischt sich den Schweiß ab.

DIE MENGE: Es lebe die Polizei!

KURRUBI: Hilf mir, Akki.

AKKI: Ich kann dir nicht helfen, mein Mädchen. Wir müssen voneinander Abschied nehmen. Zehn Tage wanderten wir durch die Gassen der Stadt Babylon und über die Plätze, in zerrissenen Kleidern beide, und des Nachts schliefst du, leise atmend, in meinem wärmsten Sarkophag, von meinen Dichtern umwinselt. Nie bettelte ich genialer. Doch nun müssen wir uns trennen. Ich habe kein Recht auf dich. Zufällig tauschte ich dich ein, ein Stück Himmel blieb an mir haften, ein Faden nur seiner Gnade, schwerelos und heiter, und nun trägt ein Windstoß dich weiter.

KURRUBI: Ich habe dir gehorsam zu sein, mein Akki. Du nahmst mich zu dir. Du gabst mir zu essen, wenn ich hungerte; zu trinken, wenn ich durstig war. Wenn ich mich fürchtete, sangst du mir deine gewaltigen Lieder vor, und war ich verzagt, klatschtest du in die Hände, deine Füße stampften im Takt, bis ich mich tanzend um dich bewegte. Du hülltest mich in deinen Mantel, wenn ich fror, und wenn ich müde war, trugst du mich unter den brennenden Abendhimmel auf deinen mächtigen Armen. Ich liebe dich, wie man einen Vater liebt, und ich werde an dich denken, wie man an einen Vater denkt. So wehre ich mich nicht mehr, wenn sie mich fortführen.

Sie senkt das Haupt.

AKKI: Geh zu Nebukadnezar, dem König, mein Kind.

DER DICHTER: Bleib bei uns, Kurrubi, bleib bei deinen Dichtern!

DIE MENGE: Zu Nebukadnezar! Zu Nebukadnezar!

Sie führen das Mädchen nach rechts hinaus.

DIE DICHTER:

Auch die Gnade, die wir suchten,
Sie entschwindet. Fledermäuse,
Alter Toten leer Gehäuse.
Bleib bei uns, die man verachtet.

KURRUBI: Mein Akki leb wohl, lebt wohl meine Dichter.

DIE DICHTER:

Ach, wie haben wir geschmachtet
Nach der Gnade. Dreck der Gasse
Aßen wir statt Menschenspeise,
Hoffend, daß der alte, weise
Engel uns das Mädchen lasse.
Nun entschwand es den Verfluchten.

DIE MENGE *von ferne:* Kurrubi! Unsere Königin Kurrubi!

Akki setzt sich finster an die Kochstelle und rührt in der Suppe.

AKKI: Ich habe nichts gegen eure Klagetöne, Dichter, doch übertrieben sind sie. Dreck der Gasse aßen wir statt Menschenspeise, dichtet ihr, und eßt mit Appetit meine Suppen. Da stimmt etwas nicht in eurer Verzweiflung. Die Kochkunst, richtig ausgebildet, ist die einzige Fähigkeit des Menschen, von der sich nur Gutes sagen läßt, und darf poetisch nicht mißbraucht werden.

Von links kommt ein älterer Mann die Treppe herab, hager und groß, gekleidet in ein feierliches, armseliges Schwarz, ein Köfferchen in der Hand.

DER FEIERLICHE: Gegrüßt seist du, Bettler Akki, gegrüßt.

AKKI: Was willst du?

DER FEIERLICHE: Atemraubend, wie sich das Mädchen entfaltet, schwindelerregend. Sah von der Brücke, wie man es davonführte.

AKKI *ärgerlich:* Ich hätte dieses Kind zur besten Bettlerin der Welt erschaffen, und nun wird es einfach Königin.

DER FEIERLICHE: Wird eine wilde, unheimliche Ehe.

AKKI *wütend:* Auf Händen wird der König Kurrubi tragen.

DER FEIERLICHE: Stürmisch wird's zugehen. Möchte nicht dabei sein. Wenn man denkt, daß der König das Mädchen mit

Fußtritten bedeckte, graust's einem vor den kommenden Nächten.

AKKI: Mit Fußtritten?

DER FEIERLICHE: Am Strome Euphrat.

AKKI: Am Euphrat?

DER FEIERLICHE: Damals an jenem Morgen.

AKKI *springt auf:* Der Bettler aus Ninive war der König?

DER FEIERLICHE: War zugegen, war Zeuge. Majestät verkleidete sich.

AKKI: Wozu?

DER FEIERLICHE: Dich zum Staatsdienst zu überreden. Und dann übergab ihm der Engel das Mädchen. Eine erhabene Stunde, eine feierliche Stunde.

Akki wischt sich den Angstschweiß von der Stirne.

AKKI: Eine Stunde, die leicht hätte bedenklich ausgehen können. Da habe ich nochmal Glück gehabt. *Mißtrauisch:* Und wer bist du?

DER FEIERLICHE: Der Henker.

Die Dichter verschwinden.

AKKI: Salü.

Er schüttelt ihm die Hand.

DER FEIERLICHE: Grüß Gott.

AKKI: Du bist in Zivil.

DER FEIERLICHE: Bettler darf ich nicht in Amtstracht henken. Habe strenge Vorschriften.

AKKI: Nimmst du Suppe mit Rindfleisch?

DER FEIERLICHE: Ist das eine Falle? Dürfte ich mir nicht erlauben.

AKKI *unschuldig:* Eine Falle?

DER FEIERLICHE: Dem Henker von Lamasch bist du entkommen, ebenso dem von Akkad und dem von Kisch.

AKKI: Das waren herzogliche Henker, keine königlichen. Ich lasse mich bloß vom Henker des Königs henken. Nur das Beste ist da gut genug, ich habe meinen Stolz. Dich zu ehren, biete ich dir Rindfleisch mit Suppe an.

DER FEIERLICHE: Bin auch geehrt. Bin mit meinem Gehalt an karge Kost gebunden. Kenne Suppe mit Rindfleisch nur vom Hörensagen.

AKKI: Setze dich denn auf diesen Thron eines längst vermoderten Weltbeherrschers.

DER FEIERLICHE *setzt sich vorsichtig:* Es ist auch wirklich keine Falle?

AKKI: Aber nein.

DER FEIERLICHE: Bin unbeugsam. Jede Bestechung prallt wirkungslos von mir ab, sei sie Gold, sei sie Fleischeslust. Als ich jüngst einen Volksstamm in Mysien henken mußte, bot er Hekatomben von Eseln, von Schafen. Vergeblich. Zu Tausenden hingen die Mysier schön gereiht in der Abendsonne.

AKKI: Glaub's.

DER FEIERLICHE: Bitte prüfe mich.

AKKI: Hat doch keinen Zweck.

DER FEIERLICHE: Bitte. Bitte. Nichts liebe ich so sehr wie Prüfungen der Standhaftigkeit.

AKKI: Gut. Hätte eine Braut für dich, frisch und prall.

DER FEIERLICHE *stolz:* Ausgeschlossen.

AKKI: Ein Knäbchen, rosig und schmiegsam.

DER FEIERLICHE *strahlend:* Halte stand, halte stand.

AKKI: Flüstere dir den Ort ins Ohr, wo meine Schätze im Euphrat liegen.

DER FEIERLICHE: Nichts da. Wirst gehenkt. *Triumphierend:* Siehst du? Man nennt mich Sidi den Unbestechlichen.

AKKI: Dafür bekommst du auch das schönste Stück Rindfleisch. Die Suppe!
Er schlägt mit dem Schöpflöffel an den Kessel. Es gibt einen lauten Ton. Die Dichter tauchen auf.

DIE DICHTER: Der Ton! Der herrliche Ton!
Jeder naht dem Kessel mit einer kleinen Schale.

AKKI: Die Dichter, Vortrefflicher!

DER FEIERLICHE: Eine Freude, eine reine, ungetrübte Freude!
Die Dichter und der Feierliche verneigen sich. Von rechts nahen sich schüchtern Omar und Yussuf, ebenfalls mit kleinen Schalen.

AKKI: Omar, der Taschendieb, und Yussuf, der Einbrecher. Nachbarn von mir, sie wohnen eine Brücke weiter unten.

DER FEIERLICHE: Ich weiß, ich weiß. Habe sie nächste Woche zu hängen.

Die dunklen Gestalten tauchen rechts auf.

DIE GESTALTEN *krächzend:* Hunger! Wir haben Hunger!

AKKI: Da, ihr Raben, euren Anteil!

Er wirft ihnen ein großes Stück Fleisch zu, worauf sie wieder verschwinden. Die Suppe wird verteilt, alle beginnen zu essen. Der Feierliche hat ein rotes Taschentuch über den Schoß gebreitet.

DER FEIERLICHE: Köstlich, diese Suppe. Welch üppiges Fest für meine Knochen.

AKKI: Du scheinst vergnügt.

DER FEIERLICHE: Bin ich, bin ich. Das Rindfleisch mundet vorzüglich. Eine Orgie, eine ausgelassene Orgie, dieses Essen. Aber gehängt wirst du doch.

Akki füllt dem Feierlichen den Topf von neuem.

AKKI: Da hast du noch eine Portion.

DER FEIERLICHE: Ich schmause, ich schmause.

AKKI: Willst du eine Bouteille besten Ägypters?

Er schenkt allen Wein ein.

DER FEIERLICHE: Gierig bin ich danach, dürstend, wie ich bin. Ein Bacchanale, ein himmeldonnerndes Bacchanale, was wir da treiben. Jubilieren wir. Das hundertste Mal, daß dein Beruf verboten wird, das zehnte Mal, daß man dich zu henken trachtet. Habe nachgezählt. Bin peinlich exakt in den Daten der heimatlichen Geschichte. Führe ein Tagebuch. Weltreiche gehen, Weltreiche kommen, habe alles notiert. Und die Menschen? Ändern sich, wandeln sich. Wechseln den Beruf, die Mode, die Religion, den Stand, die Sitten. Konfus würde man dabei, ohne den Anker eines Tagebuchs. Nur du änderst dich nicht. Was auch geschieht, wer dir auch nachstellt, du bleibst ein Bettler. Achtung, Hochachtung dir. *Alle trinken.* Harrst aus, wie der Erzminister ausharrt mit seinen tausend königlichen Kanzleien. Achtung, Hochachtung auch ihm. *Alle trinken.* Hält sich oben, wie du dich oben hältst. Regiert die Könige, regiert die Welt im geheimen mit seinen Bürolisten. Und der dritte bin ich. Achtung, Hochachtung endlich mir. *Alle trinken.* Auch ich ändere mich nicht, wechsle nicht, wandle mich nicht, bleibe Henker. Mit Stolz darf ich es in den Himmel rufen. Der Bürokraterei, der Bettlerei und der Henkerei! Diese drei bilden das heimliche Weltgerüst, in welchem sich die Dinge aufbauen und abbauen.

Alle stoßen an.

AKKI: Trinken wir den Rest.

DER FEIERLICHE: Den Rest, den traurigen Rest. Schauderhaft, daß ich beruflich hier sitze. Die Welt wird wüst, wenn ich nun auch bei dir einschreite. Doch frisch ans düstere Werk. Die Suppe ist gegessen, das Rindfleisch dahingeschwunden, die Flasche leer. Drängt es dich an eine Laterne da oben, oder ist es dein Wunsch, im Stadtwäldchen zu hangen?

AKKI: Am angenehmsten wäre mir eine Laterne vor dem Königspalast.

DER FEIERLICHE: Nobler Gedanke, doch schwierig. Die Laternen vor dem Palast sind den Mitgliedern der Regierung reserviert. Hängen wir dich ans Brückengeländer, so ist es am einfachsten. Mein Gehilfe ist schon oben. Halef!

EINE STIMME VON OBEN: Ja, Meister. Kommt schon.

Von oben senkt sich ein Seil herunter. Die Dichter schreien auf und verschwinden, ebenfalls Omar und Yussuf.

DER FEIERLICHE: Darf ich bitten.

Akki steigt auf den Königsthron in der Mitte der Bühne.

DER FEIERLICHE: Hast du noch eine Verfügung zu treffen? *Er legt Akki die Schlinge um den Hals, nachdem er sie mit Seife schmiegsam gemacht hat.*

AKKI: Was bleibt, stifte ich den Dichtern. Unklar ist nur, was mit meinem Antiquariat im Sintflutgäßchen geschieht.

DER FEIERLICHE: Du hast ein Anti-Antiquariat?

Die Dichter tauchen wieder auf.

DIE DICHTER: Ein Antiquariat?

AKKI: Letzte Woche erbettelt. Ich war mit höchster Bettlerintuition begeistert und von ganz besonderer Könnerschaft an diesem Tag.

DER FEIERLICHE: Ein Antiquariat ist das Ziel meiner Wünsche.

AKKI: Ich hatte keine Ahnung, daß du dich mit solchen Dingen abgibst.

DER FEIERLICHE: Als Antiquar zwischen Plastiken zu sitzen und Klassiker zu lesen, scheint mir das Höchste hienieden.

AKKI *schüttelt den Kopf:* Merkwürdig. Auch die Henker von Lamasch, Kisch und Akkad waren wild auf Bildung.

DER FEIERLICHE: Führe ein bitteres, freudloses Leben. Mit Tränen sei es gestanden. Henke und komme nie auf einen grünen Zweig. Höchstens, daß einmal ein Minister etwas abwirft. Wenn ich dagegen an deinen Beruf denke, an deinen täglichen Umgang mit Dichtern, an das brausende Freudenfest dieser Suppe mit Rindfleisch.

AKKI: Die großen Henker mästet man und die kleinen läßt man hungern. Ich will ein Einsehen haben. Gib mir deinen Beruf für mein Antiquariat.

DER FEIERLICHE *wankend:* Du willst Henker werden?

AKKI: Der einzige Beruf, den ich noch nicht erbettelt habe.

DER FEIERLICHE *sinkt in den Königsthron:* Himmel!

AKKI *beunruhigt:* Was ist dir denn, Sidi der Unbestechliche, Stütze des heimlichen Weltgerüsts?

DER FEIERLICHE: Wasser. Bitte. Sonst kommt meine Herzkrise.

AKKI: Nimm Schnaps. Das tut besser.

Er steigt vorsichtig vom Königsthron, den Kopf immer noch in der Schlinge und hält ihm eine Flasche hin.

DER FEIERLICHE: Im Kopf wirbelt's, im Kopf. Wo ist denn die Ehre, der typisch babylonische Stolz?

AKKI *verwundert:* Was sollen denn die hier unter diesem Brückenbogen?

DER FEIERLICHE: Darf jedem, den ich zu henken habe, meinen Beruf abtreten. Steht im Vertrag, den ich in jugendlichem Übermute abschloß, mir das Studium der schönen Künste zu ermöglichen. Dachte Geld zu verdienen. Doch der geringste Arbeiter, der schäbigste Minister, der verlausteste der Vaganten, wen ich auch henkte in den öden Jahrtausenden, nie ließ

58

sich einer überreden, an meiner Stelle Henker zu werden und am Leben zu bleiben. Das sprichwörtliche babylonische Ehrgefühl erwies sich stärker als Lebensgier.

AKKI: Siehst du, ich habe immer gedacht, Babylon gehe noch vor lauter Ehre zugrunde.

DER FEIERLICHE: Wie sehr mich dein Vorschlag erlöst aus einem peinlichen Leben, so sehr bin ich erschüttert. Willst den verächtlichsten, schäbigsten Beruf gegen ein Antiquariat umtauschen!

AKKI: Du stehst ganz falsch zu deiner Tätigkeit, Henker. Gerade die schäbigen, verachteten, verabscheuten Berufe muß man heben, damit sie erlöst werden aus ihrer Niedrigkeit und etwas darstellen; sonst sind sie verloren. Da war ich zum Beispiel einmal Milliardär.

DER FEIERLICHE *erstaunt:* Milliardär?

DIE DICHTER: Erzähle, Bettler, erzähle!

AKKI: So hört die Makame meiner erbettelten Berufe.

Er zieht den Kopf aus der Schlinge und hält sich mit der rechten Hand an ihr.

In der Blütenpracht einer Maiennacht, um Mitternacht, erbettelte ich mit Kunst und Schlich von einem Milliardärstöchterlein seines Papas Milliarde ein. Unverdrossen, war ich entschlossen, in einem Kampf auf Brechen und Biegen, den frechen Dampf des Reichtums zu besiegen.

Höre nun, was der Weise tat: Früh bis spät machte ich Schulden, vertrank die Gulden, verstank die Wälder und Schlösser, die Kälber und Rösser, verspielte selber die Kunstgegenstände, die goldenen Spiegel, die Tiegel, die Wände, verpraßte die Schreine, verschaßte die Steine, verjaßte alleine zweitausend Schweine, und so, in unwiderstehlichem Trott, war ich in einem Jahr bankerott, ganz und gar, ohne Sou in der Tasche, ohne Wein in der Flasche, und im gleichen liederlichen Tritt zog ich weitere fünf Milliardäre mit, samt Aktionären und Banken; das Land kam ins Wanken. Dies, mein Henker, tat ich als Denker, um einen bösen Beruf zu erlösen.

EIN DICHTER: Und das Milliardärstöchterlein?

AKKI: Heiratete den Pfändungsbeamten.

Er wirft die Schlinge nach oben. Das Seil verschwindet.

Da ich nun in meinem Sarkophag, Nacht und Tag denkend lag, warum die Menschheit in Krämpfen liege, warum Gemeinheit im Kämpfen siege, suchte ich mit Geisteskraft und Feuer, meiner Leidenschaft ein neues Abenteuer: Mit Hofieren und Scharmieren, mit Malträtieren und Exerzieren, mit Arschlecken und Rückenverrenken, mit Beinestrecken und patriotischem Denken, mit aristokratischer Braut und bürokratischem Laut, mit Wedeln und Kriechen, erbettelte ich von einem siechen General den Titel. Nun hatte ich Mittel, den Krieg zu bekriegen, und den Sieg zu besiegen. Dies war der Sinn meines militärischen Lebens, die Höllenfahrt war nicht vergebens. Ich erreichte mit kühnen Systemen, dem Krieg die Mühen und Schrecken zu nehmen. Als die Armee, die ich führte, nach Akkad marschierte, dreihunderttausend auf dem Papier, gelang es mir, die Schlacht zu verlieren, ohne einen Toten nach Hause zu führen, ohne Wunden, unzerschunden, ohne Verluste an Menschen und Tieren. Keine Mutter verlor ihren Sohn, dreihunderttausend kamen davon. Dies, mein Henker, des Denkers Spruch: Nie gab's einen billigeren Zusammenbruch!

DER FEIERLICHE: Welche Leistung. Wie denn? Sonst sind doch gerade Niederlagen verlustreich.

AKKI: Ich schickte die Marschbefehle an die Soldaten nicht ab.

DER FEIERLICHE: Bewundernswert. Erstaunlich.

AKKI: Siehst du, so muß man schäbige Berufe ausüben. Etwas Gutes läßt sich aus jedem machen.

DER FEIERLICHE *vorsichtig:* Und du meinst, daß ich als Antiquar zu meiner Suppe mit Rindfleisch komme? Mit einem monatlichen Festessen wäre ich zufrieden, begeistert.

AKKI: Du wirst in der Woche dreimal Suppe mit Rindfleisch essen und am Sonntag eine Gans.

DER FEIERLICHE: Welche Wendung! Welch orgiastischer Umschwung!

AKKI: Deine Amtstracht, Henker.

DER FEIERLICHE: In diesem Köfferchen. Hätte nach dir noch die Geographen und Astronomen zu henken gehabt.

AKKI: Henken heißt laufenlassen.

DER FEIERLICHE: Die Dichter werden dir fehlen. Bitterlich.

AKKI: Im Gegenteil. Ich freue mich auf die Stille der königlichen Verliese.

Er zieht den Henkermantel an.

EIN DICHTER *erschrocken:* Zieh nicht dieses Kleid an.

EIN ANDERER: Entehre dich nicht.

EIN DRITTER: Werde nicht ein Henker.

EIN ANDERER: Bleibe ein poetischer Gegenstand.

AKKI: Ist es euer ewiges Pech, die Stunde der Gefahr nicht zu erkennen, ihr Dichter Babylons? Seht ihr nicht das Unheil, das sich vorbereitet. Kurrubi sucht einen Bettler und wird einen König finden. Tag und Nacht wird verhaftet, die Armee marschiert nach Norden, der Staat wird unfehlbar: Er trachtet danach, keinen von uns zu verfehlen. Muß ich euch noch meine letzte, bitterste Makame erzählen? Die Makame von der Waffe des Schwachen?

EINER: Deine letzte, deine bitterste Makame!

DIE DICHTER: Bevor du entweichst, bevor du entschwindest!

AKKI: Die Welt zu bestehen, muß der Schwache sie erkennen, um nicht blind einen Weg zu gehen, der sich verliert, in eine Gefahr zu rennen, die zum Tode führt. Die Mächtigen sind mächtig; es ist niederträchtig, diese Wahrheit zu mißachten, nach Narrheit zu trachten, die Mächtigen zu besiegen, ohne über Waffen zu verfügen, denen sie unterliegen. Heldentaten sind sinnlos, sie verraten die Ohnmacht des Schwachen, und seine Verzweiflung bringt die Macht nur zum Lachen. Doch hört einen Bettler jetzt, gefoltert, in Fetzen, von Schergen gehetzt: Der Mächtige in dieser Welt greift nach dem, was ihm gefällt, bald ist es dein Weib, bald ist es dein Haus, und nur, was er verachtet, läßt er unberührt; es lerne der Kluge daraus. Es fällt, wer verführt, was die Macht begehrt, ja selbst den Weisen tötet die Gewalt, nur wer nichts hat und nichts ist, bleibt unversehrt. Begreife, was man muß und ziehe den Schluß: Stelle dich dumm, nur so wirst du alt. Von innen greife an. Sei in der Festung schon am Tage des Gerichts. Schleiche dich ein, demütigen Gesichts, als Saufkumpan, als Sklave, Dichter, Schuldenbauer, erniedrige dich, und du brichst jede Mauer.

Ertrage Schmach, geh jede Pfade, vergrabe, will's die Zeit, wilde Hoffnung, heiße Liebe, Leid und Gnade, Menschlichkeit, unter einem roten Henkerskleid.

Er zieht sich die Maske über das Gesicht und steht als rot vermummter Henker da.

ÜBER DEN THRONSAAL, DEN SCHAUPLATZ DES DRITTEN *Aktes, ist nicht viel zu bemerken, sein Luxus, sein Raffinement, seine Abgeschlossenheit versteht sich von selbst, aber auch seine bestialische Grausamkeit. Inmitten höchster Kultur wird etwas negerhaft Grausiges sichtbar, so etwa die blutverschmierten Feldzeichen der königlichen Eroberungsheere. Der Raum wird durch ein Riesengitter in einen Vorder- und Hintergrund geteilt, der sich unermeßlich irgendwohin erstreckt, mit zu ahnenden Riesenstatuen irgendwo, steinern, erstorben. Der Thron, links vor dem Gitter, erhebt sich auf Stufen. Auf ihm sitzt Nebukadnezar, den Kopf Nimrods zwischen den Füßen, auf dessen Schultern sie ruhen. Links eine Türe im Gitter, durch die man in den Hintergrund gelangt. Ebenfalls an den Wänden links und rechts Türen. Dem Orchester entlang rechts vorne zwei Hocker.*

NIMROD : Nun, König Nebukadnezar, nun ? Was starrst du in deinen Palast seit Tagen schon, seit Nächten schon, was stampfen deine Füße auf meinen Schultern herum ?

NEBUKADNEZAR : Ich liebe Kurrubi.

NIMROD : Dann liebst du ein Mädchen, das du gegen deinen Schemel umgetauscht hast.

NEBUKADNEZAR : Ich lasse dich peitschen.

NIMROD : Nur zu! Kannst du mich quälen, wie ich dich quäle ?

NEBUKADNEZAR : Schweig, Kopf zwischen meinen Füßen.

NIMROD : Bitte.

Schweigen.

NEBUKADNEZAR : Rede! Rede!

NIMROD : Siehst du, nicht einmal mein Schweigen hältst du aus.

NEBUKADNEZAR: Rede von Kurrubi. Du hast sie gesehen. Sie gab dir aus den schmutzigen Wellen des Euphrat zu trinken.

NIMROD: Du beneidest mich?

NEBUKADNEZAR: Ich beneide dich.

NIMROD: Sie war verschleiert. Doch durch ihren Schleier sah ich ihre Schönheit, bevor du sie erkanntest.

NEBUKADNEZAR: Ihre Schönheit erfüllt die Stadt Babylon mit himmlischem Glanz und bis in meinen Palast dringen die Gesänge der Verliebten.

Draußen lautes Dichten.

DER PAGE:

Es war nicht für den König,

Das Mädchen aus dem Nichts;

NIMROD: Hörst du? Sogar dein Page dichtet.

DER PAGE:

Es stieg zur Gosse nieder,

In Garben goldnen Lichts.

NEBUKADNEZAR *leise:* Henker.

Von links tritt der als Henker verkleidete Akki auf.

AKKI: Majestät.

NEBUKADNEZAR: Töte den dichtenden Pagen.

DER PAGE:

Es hängt im Bettlerbarte,

Was unser Herz entbrennt;

AKKI: Vernünftig, Majestät. Eine energische Maßnahme ist nur am Platz.

Er verschwindet rechts hinten.

DER PAGE:

Wie eine weiße Flocke

Vom Schnee des De-

Die Stimme bricht plötzlich ab.

NEBUKADNEZAR *leise:* Alle sollen sterben, die Kurrubi lieben.

NIMROD: Dann mußt du die Menschheit ausrotten.

NEBUKADNEZAR: Ich lasse deine Augen ausbrennen.

NIMROD: Glühe meine Augen aus, fülle meine Ohren mit Blei, stopfe meinen Mund: Meine Erinnerung kannst du nicht aus meinem Leibe reißen.

NEBUKADNEZAR: Erzminister!

ERZMINISTER: Majestät?

NEBUKADNEZAR: Schaff den Exkönig in das unterste meiner Verliese.

ERZMINISTER: Ich bin Gesetzgeber. Ich habe den König damit definiert, daß sein Fuß auf den Schultern seines Vorgängers zu ruhen habe. Fällt die Definition dahin, fällt der König dahin.

NEBUKADNEZAR: Dann ändere diese Definition.

ERZMINISTER: Unmöglich. Sonst stürzen die fünfhunderttausend Paragraphen des babylonischen Gesetzes zusammen, die sich logischerweise aus der Definition des Königs ergeben, und wir haben das reine Chaos.

Er entfernt sich. Nimrod lacht.

NIMROD: Das sagte er mir auch immer.

NEBUKADNEZAR: Und jedesmal war die Zahl der Paragraphen gewachsen. Ins Unermeßliche.

NIMROD: Und die Zahl der Kanzleien.

NEBUKADNEZAR: Mir bleibt nichts als ein Schemel.

NIMROD: Und dein Sohn, der Kronprinz.

Von links hinten tanzt stutzerhaft gekleidet ein Idiot grinsend und seilhüpfend über die Bühne und verschwindet hinten rechts. Nebukadnezar hält die Hände vor das Gesicht.

NEBUKADNEZAR: Dein Sohn.

NIMROD: Unser Sohn, der Erbe unserer Macht. Keiner weiß, wer ihn zeugte. Wir schlichen beide betrunken zu seiner Mutter.

NEBUKADNEZAR: Wir sind aneinandergekettet, ich und du.

NIMROD: Immerzu, immerzu.

NEBUKADNEZAR: Seit all den Tausenden von Jahren, die waren.

BEIDE: Oben ich, unten du, unten ich, oben du, immerzu, immerzu.

Schweigen.

NEBUKADNEZAR: Henker.

Von links kommt Akki.

AKKI: Majestät?

NEBUKADNEZAR: Sind die Geographen und Astronomen bestraft?

AKKI: Die Verliese sind von ihnen gesäubert.

NEBUKADNEZAR: Ist mit dem Betteln aufgeräumt?

AKKI: Völlig.

NEBUKADNEZAR: Der Bettler Akki?

AKKI: Verwandelt. Nicht einmal Majestät würde ihn erkennen, stünde er vor Ihnen.

NEBUKADNEZAR: Aufgeknüpft?

AKKI: Erhöht. Er bewegt sich in den höchsten Kreisen.

NEBUKADNEZAR: Der Mäzen der Dichter wird sich kaum im Himmel befinden.

AKKI: Etwas tiefer.

NEBUKADNEZAR: Die Bettler sind ausgerottet. Zum ersten Mal seit der Sündflut ist ein Fortschritt spürbar. Die Menschheit beginnt klarere Formen anzunehmen, sich gegen die Humanität zu bewegen. Ist auf der sozialen Ebene das Schlimmste behoben, gilt es jetzt die Vernunft einzuführen, entweder gegen die Dichter, oder gegen die Theologen einzuschreiten.

Akki zuckt zusammen.

AKKI: Nur keine Dichter. Es ist immer so still da unten gewesen in den Verliesen und nun dichtet schon der Page.

NEBUKADNEZAR: Du hast ihn nicht getötet?

AKKI: Zum Henken der Pagen sind nach dem Hofzeremoniell die mitternächtlichen Stunden reserviert. Ich bitte Majestät, gegen die Theologen einzuschreiten. Sie sind gemütlicher.

NEBUKADNEZAR: Ein Gespräch mit dem Obertheologen wird diese Frage entscheiden. Tu deine Pflicht und bereite den Staatsgalgen vor.

Akki ab.

NEBUKADNEZAR: Utnapischtim!

Von rechts kommt der Obertheologe Utnapischtim, ein ehrwürdiger Greis.

UTNAPISCHTIM: Was willst du von mir, König Nebukadnezar?

NEBUKADNEZAR: Spucke dem Kopf ins Gesicht zwischen meinen Füßen.

UTNAPISCHTIM: Nach dem Gesetz, das auch du bestätigt hast, bin ich von dieser Zeremonie entbunden.

NEBUKADNEZAR: So verfluche meinen Schemel bis in alle Ewigkeit.

UTNAPISCHTIM: Es ist meine Pflicht, für das Heil der Menschen zu beten.

Nimrod lacht. Nebukadnezar nimmt sich zusammen.

NEBUKADNEZAR: Du darfst dich setzen.

UTNAPISCHTIM: Danke schön.

NEBUKADNEZAR: Ich brauche einen Rat.

UTNAPISCHTIM: Ich höre.

NEBUKADNEZAR *nach einigem Zögern:* Du warst an jenem peinlichen Morgen zugegen, als der Engel am Ufer des Euphrat erschien.

UTNAPISCHTIM: Ein für Theologen verwirrendes Ereignis. Ich habe mich dagegen gesträubt, an Engel zu glauben, und habe verschiedene Schriften gegen diesen Glauben verfaßt, ja zwei Theologieprofessoren verbrennen müssen, die an ihm festhielten. Gott schien mir keine Werkzeuge zu benötigen. Er ist allmächtig. Nun bin ich fast gezwungen, meine Dogmatik in Hinsicht der Engel zu revidieren, ein schwierigeres Unternehmen, als ein Laie wohl glauben möchte, da die Allmacht Gottes natürlich nicht angetastet werden darf.

NEBUKADNEZAR: Ich verstehe dich nicht.

UTNAPISCHTIM: Macht nichts, Majestät. Auch wir Theologen verstehen einander beinahe nie.

NEBUKADNEZAR *verlegen:* Du hast gesehen, wie ich das Mädchen mit Füßen trat.

UTNAPISCHTIM: Es erschütterte mich.

NEBUKADNEZAR *schmerzlich:* Ich liebe dieses Mädchen, Utnapischtim.

UTNAPISCHTIM: Wir alle lieben dieses Kind.

NEBUKADNEZAR: Die ganze Stadt bedichtet es.

UTNAPISCHTIM: Ich weiß. Auch ich habe mich in der Kunst versucht, das Mädchen zu besingen.

NEBUKADNEZAR: Auch du. Der älteste der Menschen.

Schweigen.

NEBUKADNEZAR: Ich bin vom Himmel beleidigt worden.

UTNAPISCHTIM: Du bist nur auf dich selber eifersüchtig, König Nebukadnezar.

Von rechts hinten seilhüpft der Idiot im Bogen über die Bühne nach links hinten. Utnapischtim verneigt sich.

NEBUKADNEZAR *verlegen:* Sprich weiter.

UTNAPISCHTIM: Wenn wir den, wie ich zugebe, oft rätselhaften Wandel der Welt verstehen wollen, o König, müssen wir von der Annahme ausgehen, der Himmel habe immer recht.

NEBUKADNEZAR *finster:* Du nimmst im Konflikt zwischen dem Himmel und mir seine Partei. Es tut mir leid, ich muß dich töten lassen. Henker!

Von links kommt Akki.

AKKI *freudig:* Also doch die Theologen, Majestät. Darf ich bitten.

UTNAPISCHTIM *steht würdevoll auf:* Wie du willst.

NEBUKADNEZAR *erschrocken:* Setz dich wieder, lieber Utnapischtim. So eilig habe ich es nicht. Der Henker kann noch etwas warten. Rede inzwischen weiter.

AKKI: Nur nicht weich werden, Majestät. Mit Theologen muß man streng sein.

UTNAPISCHTIM *kühl:* Du scheinst der Meinung zu sein, der Himmel hätte sich von dir täuschen lassen, dich in jener Nacht für einen Bettler gehalten. Das ist lächerlich. Den Engel hast du verwirrt, doch der Himmel, der ihn schickte, wußte genau, wem er das Mädchen gab. Dir, König Nebukadnezar. Das ist gar nicht anders möglich, denn Gott ist nicht nur allmächtig, sondern auch allwissend, wie ich bewiesen habe.

NEBUKADNEZAR *düster:* Der Himmel bestimmte Kurrubi dem ärmsten der Menschen.

UTNAPISCHTIM: Die Worte des Himmels dürfen nie persönlich, sondern nur allgemein aufgefaßt werden. Jeder Mensch ist beinahe gleich gering, zieht man die ungeheure Distanz in Betracht, mit der der Himmel die Dinge hienieden betrachtet. Du hast die Absicht Gottes, dich mit seiner Gnade zu beschenken, durch eigene Torheit zunichte gemacht.

NEBUKADNEZAR *mit kurzem Schweigen, freundlich:* Das mit dem Töten ist natürlich Unsinn.

UTNAPISCHTIM: Ich danke dir.

NEBUKADNEZAR: Überhaupt muß das Studium der Theologie in meinem Reich gefördert werden. Alle andern Wissenschaften lasse ich verbieten.

UTNAPISCHTIM: So lobenswert dein Eifer auch ist, übertrieben braucht er nicht zu werden.

NEBUKADNEZAR: Dafür werden nun die Dichter gehängt.

UTNAPISCHTIM: Das tut mir leid.

NEBUKADNEZAR: Der vollkommene Staat darf die Verbreitung von Unwahrheiten nicht dulden. Die Dichter veröffentlichen Gefühle, die es nicht gibt, erfundene Geschichten und Sätze ohne Sinn. Ich denke, daß gerade auch die Theologie daran interessiert ist, dies zu verbieten.

UTNAPISCHTIM: Nicht unbedingt.

NEBUKADNEZAR: Henker.

Von links kommt Akki.

AKKI: Ich komme, ich eile. Der Staatsgalgen ist für den Obertheologen bereit.

NEBUKADNEZAR: Lasse die Dichter verhaften.

AKKI *erschrocken:* Die Dichter?

NEBUKADNEZAR: Sie sind auszurotten.

AKKI: Dann wenigstens nur die Epiker. Sie sind relativ die stillsten.

NEBUKADNEZAR: Auch die Lyriker und die Dramatiker.

Akki resigniert ab.

NEBUKADNEZAR: Somit wäre der Konflikt zwischen Staat und Kirche beigelegt.

UTNAPISCHTIM: Wieder einmal.

NEBUKADNEZAR: Und du glaubst, daß ich das Mädchen heiraten soll?

UTNAPISCHTIM: Ich wundere mich, daß du es nicht schon lange getan hast.

Von rechts kommt der Erzminister.

ERZMINISTER: Majestät! Der Engel ließ sich öffentlich im Stadtpark nieder und sammelt Kolibris und Kokosnüsse, indem er von Palme zu Palme hüpft.

Ein Sekretär des Obertheologen kommt, ebenfalls von rechts, und flüstert Utnapischtim etwas ins Ohr.

UTNAPISCHTIM *freudig:* Mein Sekretär meldet, die Eintritte in die Landeskirche überträfen mit einem Male die wildesten Hoffnungen.

Der Sekretär entrollt eine riesige Liste mit den Unterschriften der Neueingetretenen.

ERZMINISTER: Politisch wirkt die unirdische Erscheinung nicht ganz so positiv. Das Volk ist begeistert. Es dringt in den Hof des Palastes und bestürmt Majestät, Kurrubi zu heiraten. Man trägt das Mädchen in der Sänfte des Bankiers Enggibi herbei, bekränzt mit Blumen.

UTNAPISCHTIM: Ein Aufruhr?

ERZMINISTER: Ein spontaner Aufstand, der zwar noch babylonisch-konservative Züge trägt, doch nicht unbedenklich ist.

NEBUKADNEZAR UND NIMROD *gleichzeitig:* Haut das Volk zusammen.

ERZMINISTER: Ein Aufstand braucht nicht niedergeschlagen zu werden, der zu einem Ziel gelenkt werden kann, das einem selber nützt.

Nebukadnezar nimmt eine Denkerposition an, ebenso Nimrod.

NEBUKADNEZAR UND NIMROD *gleichzeitig:* Ich höre.

NEBUKADNEZAR *verwundert:* Was redest du auf einmal meine Worte nach, Schemel?

NIMROD: Nicht nur dein, unser Thron ist bedroht.

Nebukadnezar und Nimrod nehmen aufs neue Denkerposition an.

NEBUKADNEZAR UND NIMROD *gleichzeitig:* Unser Thron ist bedroht. Wir hören deine Vorschläge, Erzminister.

ERZMINISTER: Majestäten! Der Thron von Babylon, diese erhabene Einrichtung, stammend aus grauer Vorzeit, gegründet von Gilgamesch, unserem Nationalhelden, dieser wahre Mittelpunkt der Erde, an den sich die Völker drängen –

NEBUKADNEZAR UND NIMROD *gleichzeitig:* Welch treffliche, geistreiche Formulierung!

ERZMINISTER: – ist im Ablauf der Jahrtausende dermaßen in Mißkredit geraten, daß er allgemein als die schäbigste Institution aller Zeiten betrachtet wird.

NEBUKADNEZAR UND NIMROD *gleichzeitig:* Das wagst du uns zu sagen? Hen ...

Von links kommt Akki, doch schickt ihn der Erzminister mit einer Handbewegung wieder fort.

ERZMINISTER: Den brauchen Majestäten gar nicht erst zu bemühen. Es handelt sich nur um eine politische Feststellung, nicht um eine persönliche Meinung.

NEBUKADNEZAR UND NIMROD *gleichzeitig:* Sprich weiter.

ERZMINISTER: Es gehört unter den Babyloniern zum guten Ton, Republikaner zu sein. Das Zusammenballen einer erregten Menge im Innern des Hofes ist nur ein Symptom. Es muß durchgegriffen werden, sonst schwindet uns das Weltreich dahin.

NEBUKADNEZAR UND NIMROD *gleichzeitig:* Wie Schnee im Norden, wenn der Frühling kommt.

UTNAPISCHTIM: Was ist zu unternehmen, Erzminister?

ERZMINISTER: Das Mädchen Kurrubi, dessen Schönheit selbst mich alten Mann befeuert, ist auf der Stelle zur Königin zu erheben.

UTNAPISCHTIM: Religion und Staatsraison fügen sich aufs schönste zusammen.

ERZMINISTER: Noch nie hat sich eine verfahrene Angelegenheit dermaßen ins Positive gewandelt. Als Politiker bin ich begeistert. Wir haben die Möglichkeit, metaphysisch zu verankern, was politisch auf allzu schwachen Beinen stand. An Kurrubi, an den Himmel glaubt heute jedermann. Machen wir das Mädchen zu unserer Königin, so ist die republikanische Idee für einige Jahrtausende zerstoben. Wir brauchen nur dem Volkswillen nachzugeben, und alles ist in prächtigster Ordnung. Auch dürfen wir hoffen, daß sich so in Bälde ein anderer Thronfolger einstellt, denn wenn auch bei der Vortrefflichkeit meiner Kanzleien ein Herrscher von etwas beschränktem Talent keinen großen Schaden anstiften könnte, politisch angenehm wäre dies natürlich nicht.

NEBUKADNEZAR UND NIMROD *gleichzeitig:* Führt das Mädchen herein.

Der Erzminister und der Obertheologe wollen durch die Gittertüre abgehen.

NEBUKADNEZAR: Doch habe ich zuerst noch mit meinem Henker zu reden.

Utnapischtim und der Erzminister bleiben verwundert stehen.

UTNAPISCHTIM: Majestät, was hat denn ein Henker bei dieser zarten Angelegenheit zu suchen?

NEBUKADNEZAR: Es gibt keine Angelegenheit in meinem Reich, bei der der Henker nichts zu suchen hätte, Obertheologe. Geht nun.

Die beiden ab. Akki kommt von links. Fröhliches Singen ertönt.

AKKI: Majestät?

NEBUKADNEZAR: Was ist denn dies für ein Gesinge, Henker?

AKKI: Die Dichter. Sie stimmen ihre Oden an.

NEBUKADNEZAR: Sie tönen seltsam fröhlich.

AKKI: Die babylonischen Dichter verbrachten ein so trauriges Leben, daß sie sich nun freuen, in ein anderes zu kommen.

NEBUKADNEZAR: Tritt näher.

AKKI: Bitte, Majestät, bitte.

NEBUKADNEZAR: Nah zu mir. Du darfst deine Maske ablegen.

AKKI: Lieber nicht.

NEBUKADNEZAR: Ich fühle mich unsicher, bleibst du nicht in meiner Nähe.

AKKI: Pflichten, Majestät. Ich bin mit einer Art Großreinemachen der Verliese beschäftigt.

NEBUKADNEZAR: Du hängst die Dichter auf?

Von links torkelt ein Dichter auf die Bühne, aus einem riesigen Humpen trinkend. Akki winkt ihm energisch, zu verschwinden. Der Dichter torkelt wieder hinaus.

AKKI: Ich versetze sie in andere Umstände.

NEBUKADNEZAR: Ich will menschlich zu dir reden, wie zu einem Bruder. Du bist der am schäbigsten bezahlte Beamte meines Hofes und leistest die größte Arbeit. Hier hast du einen Scheck von tausend Goldstücken.

Er zieht ein Scheckbuch hervor. Akki reicht ihm einen Bleistift und Nebukadnezar unterschreibt.

AKKI: Wenn der nur in die richtigen Hände kommt.

NEBUKADNEZAR: Du bist der einzige in meinem Reich, der sich nicht verstellt, der ist, der er ist.

AKKI: Majestät, das finde ich etwas übertrieben.

NEBUKADNEZAR: Ich kann nur dir vertrauen. Ich empfange das Mädchen, das ich liebe. Ich will es prüfen. Es ist vielleicht möglich, daß es mich nicht mehr liebt. Es hatte Umgang mit Dichtern und vor allem mit dem Bettler Akki.

AKKI: Was soll ich tun?

NEBUKADNEZAR: Töte das Mädchen, wenn es mich nicht mehr liebt.

Der Erzminister und Utnapischtim führen Kurrubi durch die Gittertüre herein. Sie ist barfuß, ihr Gewand zerissen.

ERZMINISTER *beglückt:* Das Mädchen!

Akki verschwindet. Nebukadnezar und Nimrod bedecken ihr Gesicht mit goldenen Masken.

UTNAPISCHTIM: Komm, mein Töchterchen.

ERZMINISTER: Tritt herein, mein Kind.

Utnapischtim und der Erzminister ziehen sich nach rechts zurück.

NEBUKADNEZAR UND NIMROD *gleichzeitig:* Wir heißen dich willkommen.

Kurrubi bleibt erschrocken stehen.

KURRUBI: Ein Doppelwesen.

NEBUKADNEZAR UND NIMROD *gleichzeitig:* Du stehst vor dem König von Babylon.

Von links hinten hüpft der Idiot über die Bühne.

KURRUBI *angsterfüllt:* Wer ist das?

NEBUKADNEZAR UND NIMROD *gleichzeitig:* Ein harmloser Mensch, der bisweilen durch den Palast hüpft.

Kurrubi tritt furchtsam näher.

KURRUBI: Du bist der mächtigste der Menschen?

NEBUKADNEZAR UND NIMROD *gleichzeitig:* Der mächtigste.

KURRUBI: Was willst du von mir?

NEBUKADNEZAR UND NIMROD *gleichzeitig:* Die Babylonier wünschen, daß du meine Frau wirst.

KURRUBI: Ich kann nicht deine Frau werden.

Nebukadnezar winkt. Akki kommt von links, ohne daß Kurrubi ihn sieht.

NEBUKADNEZAR: Du liebst?

KURRUBI: Ich liebe.

NEBUKADNEZAR: Einen der Dichter? Sie hauptsächlich scheinen sich mit dir zu beschäftigen.

KURRUBI: Ich liebe die Dichter. Sie sind so nett.

NEBUKADNEZAR: Darüber sind auch andere Ansichten möglich.

KURRUBI: Aber ich liebe sie eben nur so, wie man Dichter liebt.

NEBUKADNEZAR: Man sah dich mit einem alten Schwindler und Märchenerzähler in den Gassen und nachts unter den Brücken.

Akki stampft wütend auf den Boden.

KURRUBI: Den Bettler Akki liebe ich, wie man einen Vater liebt.

NEBUKADNEZAR *erleichtert:* Und wen liebst du, wie ein Mädchen einen jungen Mann liebt, einen Geliebten?

KURRUBI: Ich liebe einen Bettler mit einem komplizierten Namen, großer König.

Nebukadnezar gibt ein Zeichen, Akki verschwindet.

NEBUKADNEZAR: Den Bettler aus Ninive?

KURRUBI *erfreut:* Du kennst ihn?

NEBUKADNEZAR: Vergiß diesen unglücklichen jungen Mann. Er war traurig, er war verzweifelt, er war einsam.

KURRUBI: Ich kann ihn nicht vergessen.

NEBUKADNEZAR: Er ist verschollen. Er ist nicht registriert in meinen Kanzleien.

KURRUBI: Ich suche ihn immerzu.

NEBUKADNEZAR: Ein Gespenst erschien im Euphratnebel. Außer den wenigen am Quai sah ihn niemand mehr.

KURRUBI: Ich sah ihn.

NEBUKADNEZAR: Man sieht auch, was man träumt.

KURRUBI: Ich umklammerte seinen Leib. Ich küßte ihn.

NEBUKADNEZAR: Du suchst, wen es nicht gibt.

KURRUBI: Es gibt ihn, weil ich ihn liebe.

NEBUKADNEZAR: Du liebst, wen du nie finden wirst.

KURRUBI: Ich werde finden, wen ich liebe, einmal, irgendwo.

NEBUKADNEZAR: Dann geh.

Kurrubi verneigt sich.

KURRUBI: Ich danke dir, großer König.

Nebukadnezar nimmt die Maske vom Gesicht, ebenso Nimrod.
Kurrubi blickt auf und erkennt zuerst Nimrod.

KURRUBI: Der Gefangene, dem ich zu trinken gab.

NIMROD: Ich bin es.

Nun erkennt sie Nebukadnezar und schreit auf.

KURRUBI: Mein Bettler!

NEBUKADNEZAR: Ich bin es.

KURRUBI: Der König.

NEBUKADNEZAR: Der nie an deiner Liebe zweifelte.

KURRUBI: Mein Geliebter.

Sie starrt ihn an, fassungslos, bleich. Nebukadnezar steigt vom
Thron, kommt zu ihr.

NEBUKADNEZAR: Den Bettler, den du suchst, gibt es nicht,
weil es ihn nie gab. Er war das Gespinst einer Nacht, das sich
auflöste ins Nichts. Du hast ihn verloren und mich gefunden.
Du liebtest einen Bettler, nun liebt dich ein König. Für die Fuß-
tritte, die er dir gab, gebe ich dir die ganze Erde, denn auch nach
den Dörfern jenseits des Libanons marschiert nun mein Heer. Zu
meiner Rechten sollst du sitzen, deinen Fuß auf Nimrod ge-
stellt. Die Großen meines Reiches werden sich vor dir verneigen, und unermeßliche Opfer will ich dem Himmel darbieten.

Er will sie zum Throne führen.

KURRUBI *wie erwachend:* Du bist kein König. Der Engel gab
mich dir, weil du ein Bettler bist.

NEBUKADNEZAR: Ich war nie ein Bettler, ich war stets ein
König. Damals war ich nur verkleidet.

KURRUBI: Jetzt bist du verkleidet.

NEBUKADNEZAR: Du bist verwirrt, mein Mädchen.

KURRUBI: Am Euphrat bist du ein Mensch gewesen, den ich
liebte, nun bist du ein Gespenst, das ich fürchte.

NEBUKADNEZAR: Du verwechselst den Schein mit der Wirklichkeit.

KURRUBI: Nur als Bettler bist du wirklich.

NEBUKADNEZAR: Nur als Bettler bin ich Schein.

KURRUBI: Flieh mit mir!

NEBUKADNEZAR: Meine liebe Kurrubi, ich habe die Welt zu regieren.

NIMROD *höhnisch: Ich habe sie zu regieren!*

Er versucht sich auf den Thron zu setzen, Nebukadnezar springt hinzu.

NEBUKADNEZAR: Nieder mit dir!

Er zwängt Nimrod in die Stellung eines Schemels zurück. Kurrubi naht den beiden ringenden Majestäten, umklammert Nebukadnezar.

KURRUBI: Laß diesen schrecklichen Traum fahren. Du bist kein König. Sei wieder du selbst, der Bettler, der du immer gewesen bist. Ich liebe dich. Wir wollen aus diesem steinernen Haus gehen und aus dieser steinernen Stadt. Ich will für dich betteln, für dich sorgen. Wir wollen die weite Ebene durchwandern, nach den Ländern ziehen, von denen mir der Engel erzählte. Wir wollen uns nicht fürchten, wenn wir die Wüste betreten. Auf der Erde wollen wir schlafen, aneinandergeschmiegt, schlafen unter den Bäumen, unter einem Himmel voll von Sternen.

NEBUKADNEZAR: Obertheologe!

Utnapischtim kommt durch die Türe rechts.

UTNAPISCHTIM: Was willst du von mir?

NEBUKADNEZAR: Beinahe wäre es dem Exkönig gelungen, sich auf den Thron zu setzen, und das Mädchen verlangt, daß ich ein Bettler werde. Es begreift nicht, daß ich nie ein Bettler war. Der Verkehr mit einem Engel und vor allem die vielen Dichter haben seinen Kopf mit unsinnigen Ansichten gefüllt. Sprich du mit ihm. Es ist in menschlichen Dingen unerfahren.

Er setzt sich mißmutig auf den Thron. Der Obertheologe führt das Mädchen nach rechts, wo sich beide niedersetzen.

UTNAPISCHTIM *gütig: Ich bin Babylons Theologe, mein Kind.*

KURRUBI *freudig: Oh, dann denkst du an Gott?*

UTNAPISCHTIM *lächelnd:* Ich denke immer an Gott.

KURRUBI: Du kennst ihn gut?

UTNAPISCHTIM *etwas wehmütig:* Bei weitem nicht so gut wie du, mein Mädchen, denn du warst nahe seinem Antlitz. Ich bin ein Mensch, und uns Menschen hat Gott sich verborgen. Wir vermögen ihn nicht zu sehen, wir vermögen ihn nur zu suchen. Du liebst den König, mein Kind?

KURRUBI: Ich liebe den Bettler, zu dem mich der Engel brachte.

UTNAPISCHTIM: Der König und dieser Bettler sind eins. Du liebst also auch den König.

KURRUBI *senkt den Kopf:* Ich kann nur den Bettler lieben.

UTNAPISCHTIM *lächelnd:* Du willst demnach, daß der König ein Bettler werde?

KURRUBI: Ich will doch nur dem Engel gehorsam sein.

UTNAPISCHTIM: Der dich zu einem Bettler brachte, der ein König ist. Du bist verwirrt, ich verstehe dich. Du weißt nun nicht, sollst du Königin oder soll der König ein Bettler werden. Ist es nicht so, mein Töchterchen?

KURRUBI *unsicher:* Es ist so, ehrwürdiger Vater.

UTNAPISCHTIM: Siehst du, mein Kind, alles wird leichter, wenn wir nur ruhig darüber reden. Wir müssen nun zu wissen suchen, was der Himmel wohl mit dem allem meinte, nicht wahr?

KURRUBI: Ja, ehrwürdiger Vater.

Von links torkeln unterdessen zwei Dichter herein mit Humpen und Hammelkeulen, doch werden sie von Akki wieder hinausgezerrt, bevor die Anwesenden sie bemerken; nur Nebukadnezar macht ein ungeduldiges Zeichen in ihrer Richtung, da ihn der Lärm stört, ohne jedoch seine Augen von Utnapischtim und Kurrubi zu lassen, denen er vorgeneigt zuhört.

UTNAPISCHTIM: Wie ich noch jung war und die Sündflut kam, war ich der Überzeugung, der Himmel verlange das Absolute von uns Menschen, wie wir uns in der Theologie mit unserer sonderbaren Sprache ausdrücken, doch je älter ich werde, desto deutlicher sehe ich, daß dies eine nicht ganz richtige Auffassung ist. Der Himmel verlangt von den Menschen vor allem das Mögliche. Er weiß, daß er uns nicht mit einem Schlag zu vollkommenen Geschöpfen machen kann, daß er uns nur zerstören würde, wollte er das. So liebt uns denn der Himmel gerade in unserer Unvollkommenheit. Er hat Geduld mit uns und begnügt sich, uns immer wieder liebevoll zurechtzuweisen, wie ein Vater seinen kleinen Sohn, um uns so im Verlauf der Jahrtausende allmählich zu erziehen.

KURRUBI: Ja, ehrwürdiger Vater.

UTNAPISCHTIM: Daher begehen wir Menschen einen Irrtum, wenn wir im Himmel etwas Strenges erblicken, das an uns übertriebene Forderungen stellt, die nur Verwirrung stiften und lauter Unheil anrichten. Verstehst du mich, mein Mädchen?

KURRUBI: Du bist gut zu mir, ehrwürdiger Vater.

In der Gittertüre erscheint der Erzminister.

ERZMINISTER: Darf man gratulieren?

NEBUKADNEZAR: Wir überreden es gerade.

Der Erzminister verschwindet. Utnapischtim gibt Nebukadnezar ein Zeichen, der vom Throne steigt und zu den beiden tritt, die sich erhoben haben.

UTNAPISCHTIM: So steht es nun auch mit dir und dem König. Wenn du das Gebot des Himmels als unbedingt ansiehst und verlangst, daß der König, der dich als Bettler erhielt, nun auch ein Bettler werden müsse, verwirrt dies die menschliche Ordnung. Die Menschen wollen nun einmal ihre Könige und nicht ihre Bettler begnadet wissen, dich als Königin sehen und nicht als ein armes, in Lumpen gehülltes Ding. Auch vermagst du so den Menschen zu helfen, mein Kind, denn sie haben deine Hilfe nötig. Du wirst den König zum Rechten bewegen, Gutes wird er tun mit deiner Hilfe. Heirate ihn, damit die Gebete nach Frieden und Gerechtigkeit erhört werden.

Er will die Hände der beiden ineinanderfügen, doch stürzt in diesem Augenblick der Erzminister herbei.

ERZMINISTER: Es gilt zu handeln! Gegen die Kolossalstatue seiner Majestät mit dem auswechselbaren Kopf schleudert man Steine!

UTNAPISCHTIM: Und meine Statue?

ERZMINISTER: Mit Rosen geschmückt steht sie unversehrt da.

UTNAPISCHTIM: Gott sei Dank, dann dauern die Eintritte in die Landeskirche noch an.

Inzwischen hat sich Nimrod auf den Thron gesetzt.

NIMROD: Die Armee hat auf der Stelle einzugreifen.

ERZMINISTER: Aber wie? Sie ist ja nach den Dörfern jenseits des Libanons abmarschiert. Nur fünfzig Mann der Palastwache sind noch vorhanden.

UTNAPISCHTIM: Babylon geht an der ewigen Welteroberei zugrunde!

Nebukadnezar nimmt den Platz Nimrods ein.

NEBUKADNEZAR *wehmütig:* Kaum war ich König, bin ich wieder Schemel. So schnell ist ein Umschwung der Dinge noch nie eingetreten. Wir rollen einem allgemeinen Untergang entgegen.

ERZMINISTER: Das ist nun etwas übertrieben, Majestät: Leute wie wir kommen immer wieder irgendwie hoch.

NIMROD UND NEBUKADNEZAR *gleichzeitig:* Was ist zu tun, Erzminister?

ERZMINISTER: Majestäten. Es muß vor allem nach dem Grund der Rebellion gefragt werden.

NIMROD UND NEBUKADNEZAR *gleichzeitig:* Frage, Erzminister.

ERZMINISTER: Ist es allein der Wunsch, Kurrubi als Königin zu sehen, der die Babylonier zur Raserei bringt? Wenn auch die Rufe des Volks dafür zu sprechen scheinen, der erfahrene Politiker verneint es. Der Grund liegt anderswo: Allein das Erscheinen des Engels untergräbt die Autorität des Staates.

UTNAPISCHTIM: Ich muß protestieren. Wenn es auch nur einer sorgfältigen Interpretation gelingen wird, die Aussprüche des Engels, die ich gesammelt habe, theologisch ergiebig zu machen, hinsichtlich des Staates sind sie harmloser Natur und enthalten nichts Umstürzlerisches.

ERZMINISTER: Eminenz mißverstehen. Meine Kritik richtet sich nicht gegen den Engel, sondern gegen dessen Erscheinen. Es ist reines Gift. Jetzt eben, zum Beispiel, schwebt er über den hängenden Gärten und taucht südwärts kopfvoran ins Meer. Ich frage: Ist dies ein Benehmen? Ein Staat, eine gesunde Auto-

79

rität ist nur möglich, indem die Erde Erde und der Himmel Himmel bleibt, indem die Erde eine Wirklichkeit darstellt, die von den Politikern zu gestalten ist, und der Himmel eine holde Theorie der Theologen, über die sonst niemand klug zu werden braucht. Wird jedoch der Himmel Wirklichkeit, wie nun durch das Erscheinen eines Engels, fällt die menschliche Ordnung dahin, denn angesichts eines sichtbaren Himmels muß der Staat notgedrungen zu einer Farce werden, und das Resultat dieser kosmischen Schlamperei haben wir: ein Volk, das sich gegen uns erhebt. Warum? Nur weil nicht schnell genug geheiratet wird. Ein Engel braucht etwas herumzuflattern, und schon ist der Respekt vor uns verschwunden.

NIMROD UND NEBUKADNEZAR *gleichzeitig:* Das leuchtet uns ein.

ERZMINISTER: Am besten ist es daher, den Engel zu dementieren.

Bestürzung.

UTNAPISCHTIM: Das ist unmöglich. Er wurde öffentlich gesehen.

ERZMINISTER: Wir verkünden, es sei der Hofschauspieler Urschanabi gewesen.

NEBUKADNEZAR: Welch ein Widerspruch. Noch vor kurzem war dir das Erscheinen des Engels willkommen.

NIMROD: Du wolltest damit unsere Macht metaphysisch verankern und die republikanische Idee ausrotten.

ERZMINISTER *sich verneigend:* Je öfter sich ein Politiker widerspricht, desto größer ist er.

UTNAPISCHTIM: Der Engel ist mir theologisch ja auch nicht recht, doch die Landeskirche verdankt ihm ihre Erneuerung.

ERZMINISTER: Es wird bei Todesstrafe verboten, aus ihr auszutreten.

UTNAPISCHTIM: Wenn ich auch nichts dagegen habe, den Atheismus mit einem gewissen Opfer zu verbinden, so möchte ich doch lieber die Hälfte der Staatseinkünfte.

ERZMINISTER: Unmöglich, Eminenz.

UTNAPISCHTIM: Dann weigere ich mich, den Engel zu dementieren.

ERZMINISTER: Der Aufstand bedroht uns alle.

UTNAPISCHTIM: Nicht mich, Erzminister. Man rebelliert gegen die Monarchie, nicht gegen die Kirche. Ich bin gegenwärtig der populärste Politiker Babylons. Die Hälfte der Staatseinkünfte, oder ich errichte einen Kirchenstaat.

ERZMINISTER: Ein Drittel.

UTNAPISCHTIM: Die Hälfte.

ERZMINISTER: Aber dann muß ich eine energische Dementierung verlangen, Eminenz.

UTNAPISCHTIM: Sie wird auf allen Kanzeln verkündet.

NEBUKADNEZAR *noch zögernd:* Ich wollte mich doch mit dem Himmel versöhnen.

UTNAPISCHTIM: Das wird, Majestät. Das ist auch privat möglich. Nur geheiratet. Eine glückliche Ehe ist dem Himmel das Wichtigste.

ERZMINISTER: Ich habe auch jetzt nicht das geringste gegen diese Versöhnung, soweit sie wirklich privat stattfindet, nur muß in Zukunft das Erscheinen von Engeln richtig organisiert werden.

NIMROD UND NEBUKADNEZAR *gleichzeitig:* Dann haben wir uns nur noch über die Herkunft Kurrubis zu einigen.

ERZMINISTER: Wir ernennen sie zur ausgesetzten Tochter des Herzogs von Lamasch.

NIMROD UND NEBUKADNEZAR *gleichzeitig:* Schaffe sogleich die notwendigen Dokumente herbei.

ERZMINISTER *zieht ein Pergament hervor:* Bereits von meinen Kanzleien verfertigt.

NIMROD UND NEBUKADNEZAR *gleichzeitig:* Man nehme die Amtshandlung auf der Stelle vor.

In der Gittertüre erscheint der Hauptmann, vollständig zerfetzt.

DER HAUPTMANN: Wir sind geschlagen. Die Wache läuft zum Volk über. Man rennt mit einem Rammbock gegen das Tor.

Die ersten Schläge des Rammbocks sind zu hören.

NIMROD: Wir sind verloren.

Er verläßt fluchtartig den Thron, wird jedoch vom Erzminister und vom Obertheologen aufgefangen.

ERZMINISTER UND UTNAPISCHTIM *gleichzeitig:* Fassung, Majestät, Haltung. Solange wir noch im Stande sind, Amtshandlungen vorzunehmen, ist nichts verloren.

Sie führen Nimrod wie ein Kind zum Thron zurück, wo inzwischen Nebukadnezar wieder oben ist.

NEBUKADNEZAR *erfreut:* Jetzt bin *ich* wieder oben.

ERZMINISTER *feierlich zu Kurrubi:* Mein liebes Kind. Dich zu ehren und dir seine Liebe auszudrücken, ernennt dich seine Majestät zur natürlichen Tochter des Herzogs von Lamasch, zur Tochter eines etwas unglücklichen, aber hochgeehrten Politikers, der letztes Jahr – von hinnen schied. Er hat dich – was deine gegenwärtige Armut erklärt – in einem Bastkorb am Ufer des Euphrat ausgesetzt unter Umständen, die noch von den Historikern ausgearbeitet werden. Das Dokument ist amtlich, an deiner Herkunft kann nicht mehr gezweifelt werden. Wir bitten dich, dies alles vor dem Volk zu bestätigen.

KURRUBI *entsetzt:* Vor den Menschen?

ERZMINISTER: Diese Formalität ist nötig. Wir begeben uns gleich mit zehn Trompetern auf den Balkon.

KURRUBI: Ich soll leugnen, daß Gott mich schuf?

UTNAPISCHTIM: Natürlich nicht, mein Mädchen.

KURRUBI: Daß der Engel mich auf die Erde brachte?

UTNAPISCHTIM: Aber nein, mein Töchterchen. Wir wissen, woher du stammst, und sind dankbar, daß wir dieses Wunder erleben durften. Keiner von uns verlangt, daß du dies in deinem Herzen erstickst. Im Gegenteil. Bewahre es in deiner Seele als Geheimnis, als dein heiliges Wissen um die Wahrheit, so wie ich es bewahre. Was wir von dir verlangen, mein Kind, ist nur eine Umschreibung des Wunderbaren für eine Öffentlichkeit, die das Außerordentliche als eine rohe Sensation betrachtet.

KURRUBI: Du denkst immer an Gott, ehrwürdiger Vater, hast du gesagt. Du kannst es nicht zulassen.

UTNAPISCHTIM *schmerzlich:* Es ist besser so, mein Mädchen.

KURRUBI: Dann bist du auch mit dem Erzminister einverstanden?

UTNAPISCHTIM: Aber nein, mein Töchterchen. Doch ist es meine Pflicht, den Himmel zu bewahren, sich selber zu schaden.

Die Köpfe der Babylonier sind voll Aberglaubens an vielarmige Gespenster und geflügelte Götter, mit Mühe nur gewinnt meine Theologie Oberhand, *einen* Gott lehrend. Ein Engel würde verwirren, unreifen Vorstellungen Raum bieten. Allzufrüh schwebte der Bote des Himmels zu uns Kindern herab.

Kurrubi wendet sich zu Nebukadnezar.

KURRUBI: Du hörst, was sie verlangen, mein Geliebter?

NEBUKADNEZAR UND NIMROD *gleichzeitig:* Wir müssen es von dir verlangen.

KURRUBI: Den Himmel soll ich verraten, aus dessen Sternen ich niederstieg, in dessen Namen wir uns lieben?

NEBUKADNEZAR UND NIMROD *gleichzeitig:* Es gibt menschliche Notwendigkeiten.

KURRUBI: Du willst nicht fliehen mit mir?

NEBUKADNEZAR UND NIMROD *gleichzeitig:* Wir müssen vernünftig sein.

Schweigen. Draußen hört man immer deutlicher, immer mächtiger die Schläge des Rammbocks.

KURRUBI: Dann laß mich gehen, König von Babylon.

Verwunderung.

NEBUKADNEZAR: Aber wieso denn?

UTNAPISCHTIM: Ich verstehe dich nicht, mein Töchterchen.

ERZMINISTER: Es ist doch alles in Ordnung, meine Kindchen.

KURRUBI: Ich gehe, den Bettler zu suchen, den ich liebe.

NEBUKADNEZAR: Ich war doch dieser Bettler.

KURRUBI: Du lügst.

UTNAPISCHTIM UND ERZMINISTER *gleichzeitig:* Wir bestätigen es, wir bestätigen es!

KURRUBI: Ihr sagt nie die Wahrheit. Auch den Engel wollt ihr leugnen. Laßt mich gehen. Ich will den Geliebten finden, den ich verloren habe.

Nebukadnezar verläßt verzweifelt seinen Thron.

NEBUKADNEZAR: Ich bin doch dieser Geliebte.

KURRUBI: Ich kenne dich nicht.

NEBUKADNEZAR: Ich bin doch Nebukadnezar der König.

NIMROD: Du bist Nebukadnezar der Exkönig.

Er will sich auf den Thron setzen, doch wirft sich Nebukadnezar über ihn und zwängt ihn nieder.

KURRUBI: Wer du bist, weiß ich nicht. Du hast die Gestalt meines Geliebten angenommen und bist nicht mein Geliebter. Du bist bald ein König, bald ein Schemel. Du bist Schein, der Bettler, den ich suche, Wirklichkeit. Ich küßte ihn, dich kann ich nicht küssen. Er schlug mich nieder, du kannst mich nicht niederschlagen, denn deinen Thron wagst du nicht zu verlassen, aus Furcht, ihn zu verlieren. Deine Macht ist Ohnmacht, dein Reichtum Armut, deine Liebe zu mir, deine Liebe zu dir. Du lebst nicht und bist nicht tot. Du bist ein Wesen und wesenlos. Laß mich gehen, König von Babylon, von dir und von dieser Stadt.

Nebukadnezar hat sich wieder auf den Thron gesetzt.

NEBUKADNEZAR *leise:* Du hast das Fundament meiner Macht gesehen: Meinen Sohn. Er hüpfte durch diesen Saal. Ein Idiot wird mein Reich erben. Ich bin verloren ohne deine Liebe. Ich bin unfähig, ein anderes Weib zu berühren.

KURRUBI: Ich liebe einen Bettler, den ich verrate, wenn ich dich nicht verlasse.

NEBUKADNEZAR *fast unhörbar:* Ich liebe dich doch.

KURRUBI: Du kannst mich nicht lieben, weil es dich nicht gibt.

ERZMINISTER: Konfus, ich werde konfus! Das kommt davon, wenn man Mädchen einfach aus dem Nichts schafft.

NEBUKADNEZAR *ruhig:* Ich lasse das Volk bitten.

ERZMINISTER: Majestät –

NEBUKADNEZAR: Es soll eintreten.

Der General geht nach dem Hintergrund.

UTNAPISCHTIM: Das Ende der Dynastie.

ERZMINISTER: Zum Glück habe ich die republikanische Verfassung bereit.

Die zwei ziehen sich an die Wand links zurück. Hinter dem Gitter wird langsam das Volk sichtbar. Die beiden Arbeiter, Gimmil, der Polizist, nun auch Revolutionär geworden, der Bankier, der Weinhändler Ali, die Arbeiterfrauen, die Hetäre, anderes Volk, Soldaten, alle mit Steinen, Knütteln, Stangen. Langsam rücken sie vor,

starren nach dem Mädchen und dem unbeweglich sitzenden Nebu-
kadnezar.

NEBUKADNEZAR: Ihr dringt in meinen Palast. Mit einem Rammbock stürmt ihr meine Tore. Wozu?

Verlegenes Schweigen.

ERSTER ARBEITER: Wir kommen –

ZWEITER ARBEITER: Das Mädchen –

Der Bankier Enggibi tritt hervor.

ENGGIBI: Majestät, es haben sich so wunderbare Dinge ereignet, daß wir vor dir erscheinen, ohne erst die Instanzen um Erlaubnis nachgefragt zu haben, die den Thron umgeben.

Gelächter in der Menge.

EINE STIMME: Bravo Bankier.

ENGGIBI: Ein Engel kam nach Babylon. Er brachte ein Mädchen, das zu heiraten sich Majestät offenbar nicht entschließen können.

EINE STIMME: Sehr gut. Gib es ihm.

ENGGIBI: Daß wir bewaffnet in diesem Saale stehen, daß die Palastwache zu uns übergelaufen ist, daß die Bevölkerung die Macht an sich gerissen hat, bedeutet nicht, daß Majestät nun zu dieser Heirat gezwungen wäre, doch machen wir ihn aufmerksam, daß wir zwar das Mädchen zur Königin wünschen, nicht aber unbedingt Seine Majestät zum König.

Gelächter. Riesiger Beifall.

NEBUKADNEZAR *ruhig:* Ich war bereit, das Mädchen zu heiraten. Aber es wies mich zurück.

GIMMIL: Es hat dem König einen Korb gegeben?

ALI: Kein Wunder.

Die Menge johlt und pfeift. Riesengelächter.

ERSTER ARBEITER: Nieder mit diesem König!

ZWEITER ARBEITER: An die Laterne!

NIMROD *triumphierend:* Setzt mich an seine Stelle! Ich will den wahrhaft sozialen Staat einführen.

ERSTER ARBEITER: Wir kennen diese wahrhaft sozialen Staaten!

GIMMIL: Sie dienen nur der Bereicherung des Königs und der Beamten!

NIMROD: Ich werde die Erde neu erobern! Ich appelliere an das babylonische Nationalgefühl: Gibt es hinter dem Libanon Dörfer, gibt es sie auch jenseits der Meere.

ZWEITER ARBEITER: Ein Bluthund der eine wie der andere!

ERSTE ARBEITERFRAU: Unsere Kinder haben sie gefressen.

ERSTER ARBEITER: Wir wollen keine Welteroberung mehr!

ALLE: Wir wollen keine Könige mehr!

Schweigen. Alle schauen gespannt zu Nebukadnezar, der unbeweglich auf seinem Throne sitzt.

NEBUKADNEZAR: Ich gebe das Mädchen zurück. Es gehöre dem, der es am meisten liebt.

Die Männer schreien durcheinander.

DIE MÄNNER: Mir! Mir! Ich liebe sie! Ich am meisten!

ENGGIBI: Das Mädchen gehört mir. Ich habe allein die finanziellen Mittel, das Mädchen seiner Herkunft gemäß zu ehren.

NEBUKADNEZAR: Du irrst, Bankier. Das Mädchen liebt einen Bettler, dessen Name es vergessen hat, der ihm am Euphratquai abhanden gekommen ist. Es verlangte von mir, daß ich dieser Bettler werde. Es wird das gleiche von dir verlangen.

Der Bankier wendet sich enttäuscht ab.

NEBUKADNEZAR: Du willst es nicht, das Kind? Du gibst sie nicht, deine Millionen? Du wagst nicht, der Ärmste zu sein? Wer von euch ist nun der Bettler, den das Mädchen sucht? Wer gibt alles hin, sich in den Geliebten zu verwandeln, den es nicht mehr gibt? Der Weinhändler? Der Milchverkäufer? Der Polizist? Ein Soldat? Ein Arbeiter? Er trete vor.

Schweigen.

NEBUKADNEZAR: Ihr schweigt? Ihr weist die Gnade des Himmels zurück?

Schweigen.

NEBUKADNEZAR: Vielleicht braucht die schöne Dame das Mädchen? Vielleicht läßt sich in ihrem Hause eine Beschäftigung finden? Nur müßten dann die Einnahmen der Kirche abgeliefert werden.

TABTUM: In meinem Bordell? Das Mädchen? Ich führe ein anständiges Haus, Majestät.

NEBUKADNEZAR: Niemand will das himmlische Kind?

Schweigen.

ERSTER ARBEITER: Der Bettler Akki soll es haben!

NEBUKADNEZAR: Der Bettler Akki ist tot.

Kurrubi blickt erschrocken auf.

ZWEITER ARBEITER: Die Dichter sind gut genug dafür.

DIE MENGE: Die Dichter! Die Dichter!

NEBUKADNEZAR: Es gibt keine Dichter mehr. Sie starben in meinen Verliesen.

ERSTE ARBEITERFRAU: Gib es dem Henker!

GIMMIL: Der ist der Ärmste!

ALLE: Dem Henker! Gib es dem Henker!

NEBUKADNEZAR: Bitte.

Er macht ein Zeichen.

Von links kommt Akki.

KURRUBI ZU DER MENGE: Helft mir!

ERSTER ARBEITER: Ein Hexenmädchen!

DER POLIZIST: Es hat uns verzaubert.

GIMMIL: Es bringt Unglück.

ZWEITER ARBEITER: Elend.

EINE STIMME AUS DEM HINTERGRUND: Tod!

EINIGE: Geht weg!

EINIGE: Kehrt ihm den Rücken zu!

KURRUBI *wendet sich zu Utnapischtim:* Hilf mir, ehrwürdiger Vater. Nimm mich zu dir.

Der Obertheologe wendet sich ab.

KURRUBI *verzweifelt wieder zu der Menge:* Helft mir doch! Rettet mich doch!

Plötzlich erscheint der Engel über Nebukadnezars Thron, noch phantastischer behängt als im zweiten Akt, denn zu den Sonnenblumen und Eiszapfen und so weiter sind nun Korallen, Seesterne und Tintenfische gekommen, Muscheln und Schneckenhäuser. Im Hintergrund riesenhaft aufleuchtend und dann wieder mit dem Engel verschwindend der Andromedanebel.

DER ENGEL: Kurrubi! Mein Kind Kurrubi!

ALLE: Der Engel!

KURRUBI: Engel! Mein Engel!

DER ENGEL: Erschrick nicht, mein Mädchen. Etwas absonderlich wohl sehe ich aus. Ich komme direkt aus dem Meer, von Tang noch umflossen, noch triefend von Wasser.

KURRUBI: Rette mich, Engel!

DER ENGEL:

Zum letzten Mal erscheine ich dir, mein Kind,

zum letzten Mal spiegelt mein Antlitz die Schönheit der Erde,

denn siehe, ich durchforsche sie nun ganz.

KURRUBI: Zur rechten Zeit bist du gekommen, Engel, zur richtigen Stunde! Nimm mich zu dir!

DER ENGEL:

Alles, was ich fand auf diesem Stern, war Gnade, und nichts anderes:

Ein unwirkliches Wunder in den erhabenen Wüsteneien der Gestirne.

Der blaue Sirius, die weiße Wega, die tosenden Cepheiden in der Nachtschwärze des Alls –

so abenteuerlich auch ihre Leiber und die Kraft,

mit der ihre Nüstern Lichtgarben in den Raum fegen, weltenweite Blasbälge,

nie wiegen sie dieses Körnchen Materie auf, diese winzige Kugel,

an ihre Sonne gebunden, umkreist von einem kleinen Mond, gebettet in Äther,

atmend im Grün der Kontinente, im Silber der Meere.

KURRUBI: Trage mich in deinen Himmel zurück, Engel, vor das gewaltige Antlitz Gottes, entbreite die Schwingen! Ich will nicht sterben auf dieser Erde! Ich fürchte mich. Ich bin von allen verlassen.

DER ENGEL:

So entschwebe ich denn, so entschwinde ich nun,

beladen mit bunten Steinen, behängt mit Wundern.

Mit Seestern, Moos und Tintenfisch,

umsummt von Kolibris,

in den Händen

Sonnenblumen, Malven und die Ähren des Korns,

eiszapfenklirrend,

Korallen im Haar, Schlehdorn und Schneckenhaus,
die Füße rot von Sand, Tau am Saume des Kleids.
Schwankend unter all dieser Gnade, unter all diesem Gewicht
wie ein Betrunkener mit schwer flatternden Flügeln.
So entschwinde ich, so entschwebe ich,
dich Glückliche zurücklassend auf der Erde.
So gehe ich ein in meine Sonnen,
in das milchige Weiß des Andromedanebels in dämmerhaf-
ter Ferne.
So tauche ich zurück in das dunkle Feuer des Antares.

KURRUBI *verzweifelt:* Nimm mich von dieser Erde, mein Engel, nimm mich zu dir!

DER ENGEL: Lebe wohl, Kurrubi, mein Kind, lebe wohl auf
immer! *Entschwindend:* Auf immer lebe wohl!

NEBUKADNEZAR: Der Engel entschwindet. Er sinkt zurück
in seine gleichgültigen Sterne. Du bist allein. Der Himmel hat
dich verlassen, die Menschen verstoßen.

KURRUBI *zusammengebrochen, leise:* Mein Engel, nimm mich
zu dir, nimm mich zu dir, mein Engel.

Schweigen.

NEBUKADNEZAR: Geh mit dem Mädchen in die Wüste, Henker. Töte es. Verscharre es im Sand.

Akki trägt Kurrubi durch die schweigende Menge hinaus.

NEBUKADNEZAR *traurig:* Ich trachtete nach Vollkommenheit.
Ich schuf eine neue Ordnung der Dinge. Ich suchte die Armut
zu tilgen. Ich wünschte die Vernunft einzuführen. Der Himmel
mißchachtete mein Werk. Ich blieb ohne Gnade.

Im Hintergrund wird der General sichtbar, umgeben von Soldaten.

DER GENERAL: Dein Heer kam zurück, König Nebukadnezar. Der Aufstand wurde bekannt, der Palast ist umzingelt, das
Volk in deiner Gewalt –

Die Menge fällt auf die Knie.

ALLE: Gnade, großer König! Gnade! Gnade!

NEBUKADNEZAR: Ich verriet das Mädchen um meiner Macht
willen, der Minister verriet es der Staatskunst, der Priester der
Theologie zuliebe, ihr habt es um eurer Habe willen verraten.
So komme nun meine Macht über eure Theologie, über eure

Staatskunst und über eure Habe. Führt das Volk in Gefangenschaft, bindet den Theologen und den Minister. Aus ihren Leibern will ich die Waffe schmieden, mit der ich meine Schande räche. Wohlan denn. Ist der Himmel so hoch, daß meine Flüche ihn nicht erreichen? Ist er so weit, daß ich ihn nicht hassen kann? Mächtiger denn mein Wille? Erhabener denn mein Geist? Trotziger denn mein Mut? Ich will die Menschheit in einen Pferch zusammentreiben und in ihrer Mitte einen Turm errichten, der die Wolken durchfährt, durchmessend die Unendlichkeit, mitten in das Herz meines Feindes. Ich will der Schöpfung aus dem Nichts die Schöpfung aus dem Geist des Menschen entgegenstellen und sehen, was besser ist: Meine Gerechtigkeit oder die Ungerechtigkeit Gottes.

Von links eilen ein Koch und der Hauptmann auf die nun leere Bühne.

DER KOCH: Die Fässer sind ausgetrunken, die Vorratskammer geplündert.

DER HAUPTMANN: Die Verliese leer, die Türen offen, die Dichter entkommen.

Von rechts stürzt der Feierliche herbei.

DER FEIERLICHE: Mein Antiquariat! Ich kann mein Antiquariat nicht finden!

Da seiltanzt der Idiot grinsend über die Bühne. Nebukadnezar bedeckt sein Antlitz in ohnmächtiger Wut, in ohnmächtiger Trauer.

NEBUKADNEZAR: Nein. Nein.

Finsternis. Die Kulissen fahren in die Höhe. Unbestimmt ist eine unermeßliche Wüste zu ahnen, eine gewaltige Weite, durch die Akki und Kurrubi fliehen.

AKKI: Weiter, mein Mädchen, weiter! Dem Sandsturm entgegen, der immer mächtiger heranheult und meinen Henkersmantel zerfetzt.

KURRUBI: Ich suche einen Bettler aus Ninive, einen Bettler, den ich liebe und den ich verloren habe.

AKKI: Und ich liebe eine Erde, die es immer noch gibt, eine Erde der Bettler, einmalig an Glück und einmalig an Gefahr, bunt und wild, an Möglichkeiten wunderbar, eine Erde, die ich immer aufs neue bezwinge, toll von ihrer Schönheit, verliebt in ihr Bild, von Macht bedroht und unbesiegt. Weiter denn, Mädchen, voran denn, Kind, dem Tod übergeben, und doch am Leben, mein zum zweitenmal, du Gnade, die nun mit mir zieht: Babylon, blind und fahl, zerfällt mit seinem Turm aus Stein und Stahl, der sich unaufhaltsam in die Höhe schiebt, dem Sturz entgegen; und vor uns, hinter dem Sturm, den wir durcheilen, verfolgt von Reitern, beschossen mit Pfeilen, stampfend durch Sand, klebend an Hängen, verbrannten Gesichts, liegt fern ein neues Land, tauchend aus der Dämmerung, dampfend im Silber des Lichts, voll neuer Verfolgung, voll neuer Verheißung und voll von neuen Gesängen!

Sie ziehen davon, vielleicht daß ihnen noch einige Dichter folgen, durch den Sandsturm hüpfend.

Die vorliegende Komödie versucht den Grund anzugeben, weshalb es in Babylon zum Turmbau kam, der Sage nach zu einem der grandiosesten, wenn auch unsinnigsten Unternehmen der Menschheit; um so wichtiger, da wir uns heute in ähnliche Unternehmen verstrickt sehen. Meine Gedanken, meine Träume kreisen jahrelang um dieses Motiv, ich beschäftigte mich schon in meiner Jugend damit, stand doch in der Bibliothek meines Vaters ein blauweißer Band der Monographien zur Weltgeschichte, Ninive und Babylon. Es ist schwer, Träume zu gestalten. Ich hatte nie im Sinn, eine versunkene Welt zu beschwören, es lockte mich, aus Eindrücken eine eigene Welt zu bauen. Die Arbeit zog sich über Jahre hin. Ein ernsthafter Versuch, den ganzen Turmbaustoff zu gestalten, mißlang 1948, fünf Jahre später wagte ich es von neuem, indem der erste Akt beibehalten und eine andere Handlung geschaffen wurde: Nur die Ursache des Turmbaus sollte nun behandelt werden. So kam eine Fassung zustande, die zuerst in München und dann auch in andern Städten aufgeführt wurde. Sie befriedigte nicht. Es brauchte eine Pause, Beschäftigung mit anderem war nötig, Distanz zu gewinnen, die Komödie nun auch dramaturgisch, von der Regie her zu gestalten, sie Handlung werden zu lassen und nichts weiter: Nur was in sich stimmt, stimmt auch an sich. Ob die Handlung weitergeführt wird, weiß ich noch nicht. Dem Plane nach sollte als nächstes Stück der Turmbau selber dargestellt werden: «Die Mitmacher». Alle sind gegen den Turm, und dennoch kommt er zustande ...